D1178058

WING CHUN
Técnica y filosofía

(El estilo de Kung Fu más practicado del mundo)

Por

Yip Chun
con Danny Connor

2ª Edición

**EDITORIAL
PAIDOTRIBO**

Título original de la obra: Wing Chun. Skill and Philosophy

Director de colección y revisor: Fidel Font Roig

Traducción: José Padró Humbert

© Stanley Paul & Co. Ltd.

© Yip Chun
Danny Connor
Editorial Paidotribo
C/ Consejo de Ciento, 245 bis, 1º, 1ª
08011 Barcelona
Tel. 93 323 33 11 – Fax 93 453 50 33
http: //www.paidotribo.com
E-mail: paidotribo@paidotribo.com

Segunda edición:
ISBN: 84-8019-204-6
D.L.: B-138-99
Fotocomposición: Editor Service, S.L.
Diagonal, 332 – 08013 Barcelona
Impreso en España por Carvigraf, S.L.

ÍNDICE

CAPÍTULO 9: Preguntas y respuestas:
Yip Chun dialogando con sus estudiantes, 107

CAPÍTULO 10: La doctrina del medio, 127

RECONOCIMIENTOS

Los autores quieren dar las gracias al señor Samuel Kwok, instructor jefe de la Wing Chun Athletic Association (Asociación atlética de Wing Chun), por su cooperación en la producción de este libro.

También a su estudiante más antiguo, Shaun Rawcliffe, por su ayuda con las fotografías y en el desarrollo del texto.

A Warren Szeto, Thomas Chan y Patrick Leung por la interpretación (Hong Kong).

A Samuel Kwok, Ken Lau, Wan Wo Kwok y Mo Yeu Fong por la traducción (RU).

A Archie Brahms por la traducción de Confucio.

A Fung Kam Hing, de Guandong (China) por la caligrafía.

PREFACIO

Me siento muy honrado por haber sido requerido por el gran maestro Yip Chun para colaborar en la preparación de este libro. Para mí, Yip Chun es un hombre de muchos talentos. Es, en el clásico carácter chino, un "hombre de excelencias". Aparte de sus documentadas técnicas marciales, es poeta, pintor, caligrafista, músico y filósofo. Ha trabajado como periodista, contable, conservador de museo, maestro y durante diez años de su vida se vio atrapado en la Revolución Cultural realizando trabajos muy duros. Es un ávido caminante y ha invitado endiabladamente a un cierto número de maestros de Kung Fu a una excursión por la montaña y después a practicar "manos pegadas" al final de la misma. Ninguno hasta el presente ha aceptado este desafío.

Su técnica es también formidable al nivel del mar. Vive en Hong Kong, donde enseña. También viaja por todo el mundo dando seminarios y conferencias a quienes han adquirido un gusto por la calidad.

Yip Chun mide solamente 157 centímetros y pesa 54 kilogramos; actualmente tiene 68 años, aunque las técnicas heredadas de su padre Yip Man todavía fluyen, sin haber disminuido por el paso del tiempo.

Danny Connor

Entrenamiento en los tejados de Hong Kong.

PRÓLOGO

La leyenda cuenta que Wing Chun significa "bella primavera" y se dice que es el nombre de una mujer que, según cuentan, estudió un arte marcial de una monja budista llamada Ng Mui. Cuenta la leyenda que Madam Wing Chun aprendió a rechazar a un pretendiente que quería tomarla como esposa y poseer su herencia. Estudió durante 100 días y cuando él vino para reclamarla, ella lo repelió con su arte marcial. Más tarde se casó con alguien de su elección, que aprendió sus técnicas y las vendió a otros instructores de artes marciales.

Mientras que lo antedicho no puede probarse, puede afirmarse que las técnicas son sumamente adecuadas para las mujeres y para las personas de baja estatura.

El Wing Chun entra en la categoría conocida como Boxeo Shaolín del Sur (manos rápidas, piernas fuertes), aunque emplea "suavidad" dentro de su dinámica, que se caracteriza por un método de práctica conocido como Chi Sau (un método cuya práctica consiste en pegar o enganchar los brazos a un compañero para desarrollar las técnicas que aparecen en las formas).

Pero la práctica del Wing Chun es algo más que una simple forma de autodefensa mejor. Tiene un "alma china" que lo hace fascinante. El carácter "Chung" significa central, y los caracteres para China (reino del centro) abarcan este concepto. Mientras el mundo occidental se embarcaba en el estudio de las ciencias que tratan de las cosas grandes y pequeñas, los chinos se aventuraron en el área de la armonía y del equilibrio (en la teoría budista, "el camino del medio").

Mucha gente considera el Wing Chun como un arte budista, con técnicas tales como el fut sau o mano de buda dentro de la práctica. Pero esto no es necesariamente una prueba, puesto que durante milenios los chinos han vivido confortablemente con los conceptos del Taoísmo, el Confucionismo y el Budismo –una trinidad de pensamiento que apuntala la "chinidad". El Tai Chi, por ejemplo, afirma que la teoría Taoísta (o yin-yang) es su principio espiritual o dialéctico, aun cuando las técnicas del Tai Chi tienen nombres tales como "el sirviente de Buda muele el mortero", testimoniando la fertilización cruzada dentro de la cultura china.

En realidad todas las artes marciales emplean la teoría del yin-yang de distintas maneras.

El templo Shaolín en la provincia de Henan era budista y es probablemente el icono más famoso para las artes marciales chinas. De hecho se halla cerca de la aldea de Chen, el hogar del Tai Chi.

Yip Chun dirigió primero mi atención hacia un pequeño volumen de Confucio llamado *Chung Yung* o *La doctrina del medio* en Hong Kong hace unos pocos años. Fue durante la lectura sobre "el moldeo de un mango de hacha" que la práctica del Chun Chi Sau se convirtió para mí en una encarnación de lo que Confucio había dicho 2.500 años atrás. El libro trata de las relaciones humanas, y la cita "no hagas a los demás lo que no quieres que te hagan a ti" se ha reflejado en filosofías posteriores y sirve también de consejo para todos los que quieren aprender a practicar el Chi Sau.

Cualquiera podía haber establecido la correlación, pero tuvo que ser Yip Chun con su consumada técnica y percepción quien ofreciese a su continuamente más amplio clan de Wing Chun una guía moral, un libro que se pudiese estudiar. Es una obra que no cansa, ofreciendo cada página un reflejo y guía al propio desarrollo. Se dirige a todo aquel que lo lea.

Este libro pretende explorar el principio de la línea central de Wing Chun complementado con teoría confuciana tal como se expone en *La doctrina del medio*. Es una guía moral tanto para profesores como para estudiantes. Por primera vez, se presenta para quienes desean entender la filosofía y la práctica del Wing Chun.

"Lo breve es hermoso" es el lema del Wing Chun, un arte marcial que sigue una teoría de la línea del centro y considera al cuerpo como una matriz de puertas.

Los movimientos practicados en las formas, que prefiero considerar como perfeccionamiento o métodos de ejercicio, fueron refinados por Yip Man, que llevó el Wing Chun a Hong Kong desde la ciudad de Fatshan en China.

Yip Man le dijo a su hijo mayor Yip Chun que si las formas de Wing Chun se pudiesen simplificar estarían desarrollando el arte a un nivel más alto. Nadie ha logrado hacerlo hasta la fecha. Parece que muchos han añadido cosas al estilo, pero pocos han sido capaces de simplificarlo.

Este objetivo de llevar a cabo un enfoque más simple y funcional tiene un especial atractivo para algunas personas. Se halla en el mismo centro del sistema de manos pegadas, que permite poner en práctica las técnicas aprendidas, eliminando con seguridad técnicas peligrosas tales como el lanzar los dedos, los golpes con los codos y golpear la cara de un compañero. El objetivo del Chi Sau es conservar energía y controlar los movimientos del oponente mediante la correcta aplicación de la técnica y la sensibilidad respecto a las intenciones del otro.

Yip Chun con Samuel Kwok en uno de los muchos seminarios celebrados en el Reino Unido.

CAPÍTULO 1

ENTREVISTA CON YIP CHUN

En 1989 tuve la suerte de entrevistar a Yip Chun en China para un artículo en una revista. A continuación ofrecemos una adaptación de este artículo.

El olor de la gasolina estaba en todas partes. Yo estaba allí sentado en un taxi, esperando en una gasolinera de Cantón, China. Acompañaba a Yip Chun a la provincia de Fatshan a visitar el lugar de nacimiento de su padre, Yip Man. Me hallaba estudiando el historial del Wing Chun con Yip Chun, al que había ido a encontrar a Hong Kong para estudiar con él y hacerle muchas preguntas. El maestro Yip Chun mide 157 cm, pesa 54 kilogramos, y es un hombre delgado de 68 años de edad. Erudito por entrenamiento, es asimismo el heredero de las técnicas de su padre Yip Man. Un año antes yo había hecho una grabación en vídeo de un entrenamiento de Yip Chun y desde aquel momento me di cuenta de que era un maestro en el sentido

más auténtico de la palabra. He visto ejecutar sus técnicas de manos pegadas en Inglaterra y en Hong Kong, donde nadie podía hacer mella en su habilidad. Se comporta como un caballero y se abstiene de criticar a otros profesores o maestros de todo el mundo. Yo me estaba entrenando y llevando a cabo una larga entrevista durante un mes en Hong Kong y en China, y así es como me encontré sentado en el asiento posterior del taxi con un intérprete, y el maestro estaba sentado delante indicando el camino. Entonces vi al maestro ponerse la pipa en la boca y con la otra mano encenderla. El olor de la gasolina era abrumador y comencé a sentirme preocupado por la posibilidad de que yo acabase como un simple telegrama dirigido a mi casa, por lo que grité: "No, no la encienda". Levantó la mirada un poco sorprendido por este ruidoso extranjero. Nuestro intérprete, mientras, había abandonado el vehículo para estirar las piernas, lo cual limitaba gravemente la conversación. El maestro parpadeó y abrió la ventana como para liberar el humo de su ahora casi encendida pipa. Comencé a oler y a mover mi mano debajo de la nariz para explicar el olor. Él asintió en lo que yo interpreté como que estaba de acuerdo, pero continuó tratando de encender su pipa después de apretar el tabaco.

Determinado a no terminar mis días en aquella especie de taxi-ka-mikaze-bomba de relojería, me abalancé hacia la mano con la que sujetaba el encendedor. Justo cuando mi mano alcanzó su muñeca, la liberó con un movimiento rápido y una sonrisa irónica, con una mirada que parecía suponer que le estaba haciendo una prueba. Hice otro intento y no logré agarrar nada. Empecé a comprender la profundidad de mi apuro: aquí estaba yo tratando de mantenernos vivos luchando con los brazos con un gran maestro de Kung Fu. Recordé las muchas veces en la práctica del Chi Sau en que me pudo coger con una mano en posición de bong sau y acribillar el pecho con pequeños golpes de su otro puño para indicarme lo que podría estar haciendo. Ahora parecía tomarse aquello como un juego consistente en agarrar su muñeca y encender la pipa al mismo tiempo. Comencé a soplar desesperadamente al encen-

dedor para indicarle que no iba a dejar que lo encendiese. Justo entonces el intérprete volvió a entrar en el coche.

"¿Qué está intentado usted hacerle al maestro?", dijo con recelo.

"Estoy tratando de evitar que vayamos a Fatshan por el aire," repliqué.

Después de la traducción nos reímos con ganas y aceleramos carretera adelante, pasando por verdes campos de arroz, carreteras polvorientas y edificios grises que daban un romántico telón de fondo a mis preguntas y a las respuestas del maestro. Yo había preparado ya el terreno por anticipado y pedido disculpas al maestro por si mis preguntas pudieran parecer indiscretas e irrelevantes, pero él descartó tal posibilidad y me dijo que disparase.

¿Qué es lo que hace que una persona tenga habilidad en Kung Fu?

Conozco el Wing Chun y hablo por propia experiencia, por haberlo estudiado, enseñado y observado. Un estudiante debe aprender a usar la fuerza correctamente. En algunos estilos de Kung Fu y de Karate hay una tendencia a usar la fuerza durante todo el tiempo y esto limita el desarrollo del control. Conocer cuál es el momento correcto para usar la fuerza tiene una gran importancia y es algo que hay que aprender para tener éxito. El uso y la liberación de la fuerza. La no comprensión de este punto es la falta de progreso que experimenta mucha gente, un punto sencillo pero que es la clave del éxito.

¿Puede usted facilitarme algo de información sobre la historia del Wing Chun?

La historia del Wing Chun está bien documentada, ciertas cosas son verdaderas, otras son ficción. En la dinastía Sung vivió un hombre que era un experto y erudito en el pensamiento confuciano. Su nombre era Wong Yung Min y se sentía muy atraído por la teoría de que para conseguir algo había dos cosas que intervenían: la teoría y la práctica. La teoría es el conocimiento y la práctica significa acción.

Esto no significa que haya que limitarse a mezclar los dos aspectos. Lo que se pretende es que, durante la práctica, puede aparecer más teoría y, así, como en el principio del yin-yang, se convierte en conocimiento, acción, conocimiento, y acción desarrollándose continuamente. Sin práctica, el conocimiento es inútil, y después de la práctica hay que buscar más conocimiento para desarrollar el arte.

¿Cree usted que los estudiantes de Wing Chun pueden beneficiarse de un mayor estudio de Confucio?

Sí, desde luego. Creo que tanto los estudiantes como los profesores harían bien en estudiar a Confucio; los profesores, por los ejemplos sobre liderazgo, y los estudiantes, para desarrollar una filosofía que la práctica del Chi Sau abarca. Creo que durante algún tiempo la imagen del Wing Chun ha sido la de un arte de lucha callejera y los instructores no han infundido ninguna filosofía moral en su práctica. El Tai Chi se declara seguidor de la teoría Taoísta, y Shaolín afirma que sus raíces se hallan en los templos budistas.

Recomiendo encarecidamente a todos los estudiantes de Wing Chun que estudien Chung Yu y que a través del mismo comprendan la verdadera teoría y filosofía del Wing Chun. Ésta es la pieza de la que carecen muchos estudiantes que enriquecería sus vidas. Mediante la práctica del Chi Sau (acción) y del Chung Yung (teoría), continuarán desarrollándose.

El taxi aceleró mientras Yip Chun comentaba estas teorías y principios. Poco a poco el tráfico hizo que tuviésemos que detenernos en el arcén de la carretera. Un pequeño río corría paralelamente a la misma con ocasionales bloques pequeños de hormigón que servían como puentes hacia los campos de arroz que se extendían sobre las montañas a lo lejos.

Salimos para estirar las piernas y tratar de ver qué era lo que ocasionaba el embotellamiento. Encon-

trándome sobre uno de estos bloques de hormigón con el maestro, me sorprendió oírle decir, "¿Chi Sau?" "Por supuesto", dije yo, y empezamos un poco de práctica.

Jugar a manos pegadas con el maestro es siempre un proceso de aprendizaje, pero hacerlo sobre un puente añadía un elemento excitante que yo no había experimentado antes. Así que comenzamos, comprendí que en cualquier momento podía iniciar una caída de cabeza hacia un río de aspecto sospechoso 1,80 metros más abajo. Aunque en realidad no era peligroso, me di cuenta

de que podía acabar muy mojado e incómodo. Asimismo habíamos acumulado un cierto número de espectadores chinos a los que el espectáculo les parecía fascinante. Aunque yo no hablaba cantonés, por los gritos que oía supuse que le estaban diciendo que me echase al agua.

Hubo gritos de júbilo cuando mis pies se acercaron al borde del puente, pero cuando el tráfico comenzó a moverse todo el interés sobre mi suerte desapareció y regresamos al coche para proseguir el viaje.

Danny Connor

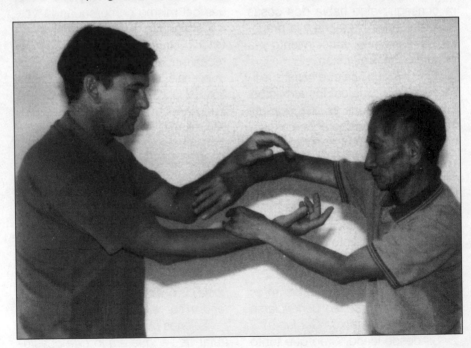

Los autores, Danny Connor y Yip Chun.

CAPÍTULO 2

ESTUDIANDO CON YIP CHUN

Debo decir que la camaradería que encontré entre los estudiantes de Yip Chun era excepcional, y estoy seguro que esta actitud provenía del propio Yip Chun. Tal como me dijo muchas veces: "No hay secretos en el Wing Chun". Todo depende de si se está técnicamente preparado para dar el paso siguiente, de si podemos absorber la técnica; y a veces esta técnica puede ser sólo una fracción de un movimiento, apenas perceptible pero que puede neutralizar un abanico completo de golpes que se nos venga encima, tal es la precisión de la técnica empleada en el Wing Chun.

Yip Chun enseña en el Sha Tin Town Hall (Reino Unido), su hogar, o en los domicilios de sus estudiantes; prefiere enseñar en privado, donde pueda supervisar y entrenar a los estudiantes.

No se ve a muchos estudiantes practicando las formas durante la clase en su casa, ya que Yip Chun cree que las pueden practicar por su cuenta. Cuando los estudiantes van a visitar al maestro, van a aprender y a desarrollar sus técnicas, lo cual se lleva a cabo mediante la abundante práctica del Chi Sau. Se dice que a veces se llevan a cabo prácticas casi continuas durante una hora y media, lo cual refina una técnica hasta que halla su camino hacia el hueso.

El apartamento del maestro Yip se halla en la planta 21 de uno de esos grandes bloques de apartamentos por los cuales es famoso Hong Kong. Sus estudiantes hacen el camino con regularidad, una semana tras otra; la relación entre el maestro y los estudiantes es natural, carente de la formalidad de muchas artes marciales, pero cuando se llega a los asuntos esenciales, es reverenciado y amado por todos sus estudiantes, muchos de los cuales habían tenido previamente experien-

cias frustrantes. Un hecho que dice
mucho en su favor es que sus estudiantes nunca le dejan para buscar
una instrucción más avanzada, y es
que creo que no existe ninguna que
pueda superar a la suya. La técnica
que les ha transmitido es formidable
e incluso con el telón de fondo de
los simples alrededores domésticos,
se practican, discuten, analizan y re-
cuerdan los niveles más elevados
del arte. Seguramente es así cómo
originalmente se enseñaban las artes marciales. En una atmósfera en
que la práctica enriquece, fortalece
y desarrolla al individuo y al mismo
tiempo eleva el nivel cultural de la
sociedad.

De la misma manera que un individuo puede estudiar y practicar la
música, cuando se está en presen-
cia de un maestro se ejecutan las
técnicas y no las escalas que se
practican en solitario cuando se dis-
pone de tiempo. Cuando se está
con el maestro, el propósito es desarrollar y pulir la técnica en una situación real, y cuando se pegan las
manos con algunos de los estudiantes más veteranos de Yip Chun, uno
se da cuenta de que en cualquier
momento ellos pueden desmantelar
nuestra defensa siempre que lo
deseen. En cierto modo, la geome-
tría alcanza niveles más y más elevados, pero sin la mejora paso a
paso de las técnicas y el sólido entrenamiento de estos principios, es

fácil que se deje una abertura en la
técnica que invite a cualquiera a
abalanzarse hacia ella como clien-
tes en unas rebajas.

¿Qué es lo que convierte al Wing
Chu en algo tan excepcional? Yo di-
ría que lo más importante es el enfoque, que ciertamente proviene del
maestro. El maestro Yip Chun lleva
a su casa pequeños grupos de estudiantes para supervisar su entrenamiento de Chi Sau, y cuando di-
chos estudiantes llegan a un punto
en el que no pueden enfrentarse
con ciertas técnicas interviene y ex-
plica el problema, y ofrece cinco modos de evitarlo y otros cinco para
salir del mismo. En realidad, todo
depende de nuestra habilidad para
absorber y entender el valor de lo
que se nos muestra.

Una noche fui invitado por el
maestro Yip y uno de sus estudiantes más veteranos, Thomas, el cual
había sido descrito por el maestro
como muy bueno, para explicarme
algunas técnicas Chi Sau.

"Dos manos pero un solo cerebro," explicaba el maestro a través de
Thomas. "Si yo puedo dirigir tu atención hacia un lado, entonces el otro
lado está vacío y puedo penetrar en
tu defensa", dijo Thomas, ilustrando
esto al hacer añicos mis intentos en la
defensa. Capaz de destruir la mayoría
de mis intentos, generosamente me
dijo que iba a pegarme en la cara.
Comencé a preguntarme qué era lo

Yip Chun y Danny Connor practicando Chi Sau en la sala de entrenamiento de Ching Wu, Fatshan, China, 1989.

que me tenía preparado; básicamente aquello consistió en mostrarme que mi técnica tenía más filtraciones que un colador.

El maestro se sentaba sofocando la risa y de vez en cuando se levantaba para mostrarme cómo podía evitar algunos de los ataques, y luego se ponía a practicar Chi Sau con Thomas para ilustrar cómo podía defenderme, y cuando yo no podía hacer nada, él era capaz de controlar y neutralizar, con una sonrisa y un parpadeo en su ojo, que contradecía la calidad de la técnica que estaba demostrando.

Con los años, he sido lo bastante afortunado como para adquirir algunas de las técnicas de las manos pegadas. Pero cuando un hombre de casi 70 años de edad y de 54 kilogramos de peso se quita las gafas, deja la pipa y decide enseñarnos la manera de aplicar dichas técnicas, me siento verdaderamente impresionado. Siempre había soñado que las técnicas de Kung Fu se pudiesen practicar incluso por los ancianos, y que esto me lo demostrase un Yip Chun, hijo de Yip Man, me ha proporcionado momentos de gran placer.

Las manos pegadas con el maestro es una experiencia única. De repente te encuentras con que no puedes moverte y que su pequeño puño está acribillando tu pecho para hacerte saber que tu defensa tiene alguna debilidad. Y al igual que un joyero que tiene una "piedra de toque" para definir el contenido en oro de un objeto, la práctica de las manos pegadas con él nos mostrará el nivel de nuestras técnicas.

El maestro está en todos los rincones, siempre a punto para cualquier eventualidad; ante un cambio rápido, está frente a uno, de hecho ha estado allí miles de veces. Es como jugar a ajedrez en tres dimensiones: si dejamos un pequeño resquicio, el maestro penetrará inmediatamente por él golpeando el costado de nuestra cara con la palma de la mano.

Siempre nos resulta embarazoso cuando se nos hace sentir ineptos, pero Yip Chun lo hace con una sonrisa y una carcajada. Con él no hay la menor formalidad; después de practicar con nosotros y habernos convertido en un montón de sudor y frustración, toma su pipa y se sienta a descansar sin estar, ni mucho menos, sin aliento. Debo decir que esto resulta al mismo tiempo descorazonador y revelador. Pero algo dentro de nosotros nos dice: "Si él puede hacerlo, ¿por qué yo no puedo?" y entonces comenzamos a prestar atención con una intensidad que nunca antes habíamos experimentado. Únicamente en los momentos en que nos despojamos del ego es cuando realmente aprendemos, cuando experimentamos la destilación de la técnica, no solamente en la piel y en los músculos, sino también en los huesos. Aquí es donde se dice que reside el Kung Fu, no en la competición y los trofeos que se llenarán de polvo y perderán su brillo, sino en el refinamiento de las técnicas, el arte, o como queramos llamarlo. El objetivo de fondo es que tiene que prolongar la vida y mejorar la calidad de la misma.

Por lo tanto, si se nos invita a presenciar artes marciales a cualquier nivel, vayamos a verlas. Puede que ello nos afecte profundamente, ¿quién sabe?

Danny Connor

Yip Chun ha sido invitado recientemente a enseñar Wing Chun en la universidad Fatshan, Guanzhou, China. La técnica que ha alimentado y conservado en Hong Kong volverá a trasplantarse ahora a su lugar de origen. Hasta la fecha, Yip Chun es el único maestro de Kung Fu que ha sido reconocido de este modo.

CAPÍTULO 3

INVESTIGACIÓN DE LOS ORÍGENES DEL WING CHUN

La investigación de la historia del Kung Fu chino es muy difícil. Ello se debe a una carencia general de registros escritos. En cada clan de Kung Fu, la historia de dicho clan ha ido pasando oralmente de maestros a discípulo. En su momento, el discípulo se convertía en maestro, y enseñaba a sus propios discípulos de acuerdo con lo que su maestro le había transmitido a él. Por tanto, la historia ha ido pasando oralmente de generación en generación. En este proceso intervinieron algunos con un bajo nivel de educación, o que tenían mala memoria. Había también quienes transmitían la información con desgana. Con esto se perdió gran parte de la historia. Algunas personas tomaron prestados personajes heroicos de novelas populares chinas. Inventaron y exageraron, y dieron un aire mítico y de misterio a sus padres fundadores.

Al cabo de varias generaciones, los hechos históricos habían dado paso a los rumores y a la leyenda. Tomemos, por ejemplo, los clanes sureños de Kung Fu. Recubrieron a sus fundadores con fábulas, de modo que todos los fundadores provenían de Siu Lam o de Mo Dong. Todos eran monjes o monjas budistas, o sacerdotes taoístas. De este modo, de repente, el atractivo y la fascinación de la historia de las artes marciales les fue impuesto a estos pacíficos lugares y a esta buena gente. Se convirtió en un chiste.

Existen leyendas sobre los orígenes del clan de Kung Fu Wing Chun, que describen el período del gran maestro Leung Jan. Se trata de leyendas, puesto que no hay registros escritos extensos. La historia general es como sigue:

El Wing Chun fue fundado por Yim Wing Chun. Yim Wing Chun estudió bajo Ng Mui de Siu Lam. Esto significa que el Wing Chun se originó en Siu Lam. Yim Wing Chun se casó con Leung Bok Chau, y le siguió a su

2222222222

aldea natal en Siu Hing, Cantón. El Wing Chun Kung Fu fue transmitido a Leung Jan a través de Leung Bok Chau. Aquí hay dos historias diferentes. Una dice que Leung Bok Chau enseñó las técnicas a Leung Lan Kwai, Wong Wah Bo, Leung Yee Tei y otros. Wong Wah Bo y Leung Yee Tei las pasaron a Leung Jan. La otra historia dice que Leung Jan y los otros estudiaron juntos con Leung Bok Chau. Estas historias sobre el origen del Wing Chun concuerdan con un artículo del difunto Yip Man sobre el origen del Wing Chun y también con un artículo de 1972 que escribí para el "Círculo de artes marciales contemporáneas de Hong Kong". En líneas generales también concuerdan con la historia general sobre el origen del Wing Chun.

En 1982, me encontraba en Fatshan, y fui a visitar a Pang Nam (Caranegra Nam). De Pang Nam se puede decir que es un miembro muy veterano del clan de Wing Chun Kung Fu de Fatshan. Era veterano en años, más que en jerarquía. Tenía ya ochen-

Jum dao

Ocho técnicas con espadas cortantes de hoja ancha. Esta forma consta de 108 movimientos en ocho secciones, tratando cada sección de la defensa y del modo de hacer frente a armas de largo, corto o medio alcance.
La forma de entrenamiento con cuchillo complementa el entrenamiento con la mano desnuda así como las técnicas con el muñeco de madera. Coordina los movimientos de la postura, el juego de pies, la cintura y la parte superior del cuerpo. La práctica frecuente desarrolla la energía en el codo y en la muñeca. El juego de pies y las posturas del Baat Cham Dao entrenan los pasos, el ángulo, la distribución del peso y la posición del cuerpo.

ta años. Nuestra discusión se desvió hacia el origen del Wing Chun, y Pang dijo: "El Wing Chun fue traído a Fatshan desde el norte por una persona llamada Tan-Sau Ng (Brazo con la palma vuelta hacia arriba Ng, un apodo). Yim Wing Chun es solamente un personaje de un libro de cuentos". Daba la impresión de estar muy seguro.

Más tarde, inesperadamente desenterré cierta información sobre Tan-Sau Ng, registrada en la literatura antigua sobre la historia de la ópera china. Esta información guardaba una estrecha relación con el origen del Wing Chun.

Había un libro de un tal Mak Siu Har, *Un estudio sobre la historia de las óperas cantonesas* (guardado ahora en la biblioteca del gobierno de la ciudad de Hong Kong). En dicho libro había un párrafo que decía aproximadamente lo siguiente:

Antes del reinado de Yung Cheng (emperador manchú, 1723-1736), el desarrollo de la ópera cantonesa era

"Atrapando la espada"

Kau dao/Cham dao

*muy limitada. Ello se debía a una de-
fectuosa organización y una división
del trabajo poco clara. En los años de
Yung Cheng, Cheung Ng de Wu Pak,
también conocido como Tan-Sau Ng,
llevó sus técnicas a Fatshan y organizó el Hung Fa Wui Koon (ahora
Asociación artística china). A partir de
aquel momento, la ópera china pro-
gresó mucho.*

El libro también dice:

*Además de tener una gran maes-
tría en ópera china, Cheung Ng era*

*especialmente hábil en artes marcia-
les. Su tan sau no tenía comparación
posible con las artes marciales de
todo el mundo.*

En la página 631 del volumen III
del libro *Una historia de la ópera china* de Mang Yiu, publicado por primera vez por Chuen Kay Literature
Publishers en 1968, aparece un poco más de información:

*Por alguna razón, Cheung Ng no
pudo permanecer en la capital, con
lo que huyó refugiándose en Fatshan.*

Lap dao/Cham dao

Tan dao/Cham dao

Esto fue durante el reinado de Yung Cheng. Este hombre, apodado Tan-Sau Ng, era un personaje "no sobrepasado en las artes literaria y militar, y excelente en música y en drama". Era especialmente bueno en las técnicas de Siu Lim. Después de establecerse en Fatshan, pasó sus conocimientos de ópera y artes marciales tradicionales a los seguidores Hung Suen (Barco rojo), y estableció el Hung Fa Wui Koon en Fatshan. Actualmente, los grupos de ópera cantonesa le reverencian como Jo-Si (Maestro funda-

dor), y se refieren a él como el maestro Cheung. De los dos pasajes anteriores entendemos que: Cheung Ng, también conocido como Tan-Sau Ng, no solamente destacaba en artes marciales, sino que realmente enseñaba las técnicas él mismo. Se le apodó "Tan-Sau Ng" por su "tan sau... sin par en el mundo de las artes marciales".

Comparando la leyenda de Yim Wing Chun con la información sobre Tan-Sau Ng, considero esta última más aceptable en nuestro examen

Gang dao

Yat dao

de los orígenes del Wing Chun. Las razones son las siguientes:

1) Cheung Ng llevó sus técnicas a Fatshan durante el reinado de Yung Cheng. Esto fue cuarenta o cincuenta años antes del gran incendio de Siu Lam durante el reinado de Kin Lung (1736-1795). Fue casi cien años antes de la leyenda de Yim Wing Chun, que cae entre los años Ham Fung (1851-1861) y Dao Kwong (1821-1850).

2) El tan sau es una técnica que se da únicamente en el Wing Chun.

Cheung Ng fue famoso por su tan sau. Cheung Ng verdaderamente enseñó artes marciales en Fatshan Hung Suen (Barco rojo). Y Fatshan fue el caldo de cultivo del Wing Chun.

3) Hace algunos años, mi compañero de clan de Kung Fu, Pang Kam Fat, me dijo que el mejor lugar para usar las posturas de Wing Chun es encima de embarcaciones por la estabilidad. Prestando una mayor atención, los varios conjuntos de golpes de artes marciales y

Mun dao

Kup dao

áreas de práctica están estrecha-
mente relacionados con la práctica
en embarcaciones estrechas.

4) Antes de que se pasasen las técnicas a Leung Jan, la gente conec-
tada, incluido Leung Lan Kwai, "Cara pintada kam", Wong Wah Bo y
Leung Yee Tei, pertenecía toda a
Hung Suen (Barco rojo).

Verdaderamente es muy difícil ve-
rificar el origen del Wing Chun con
tan poco material sobre Cheung Ng.
Por tanto, antes de que encontre-
mos más información y pruebas, po-

demos hacer las siguientes suposi-
ciones:

Durante el reinado de Yung
Cheng, el actor de Wu Pak, Cheung
Ng, también conocido como Tan-
Sau Ng, por alguna razón abandonó la capital y se fue a Fatshan.
Organizó el Hung Fa Wui Koon en
Tai Kay Mei, Fatshan. Aparte de la
enseñanza de óperas tradicionales,
también enseñó las técnicas de las
artes marciales, y fue llamado maestro Cheung. Las técnicas de artes
marciales que enseñó ya tenían los

Lan dao doble

Fak dao/Lan dao

principios y las técnicas de las artes marciales Wing Chun. Quizás se las puede llamar artes marciales Wing Chun incompletas o practicadas de forma inadecuada. En diseminación (principalmente en Hung Suen) y desarrollo transcurrieron 100 años. Yim Wing Chun, Leung Bok Chau, Wong Wah Bo, Leung Yee Tei y otros dedicaron muchos esfuerzos a ello. El Wing Chun se convirtió en un grupo completo y maduro de artes marciales, que se extendió y floreció bajo Leung Jan.

La suposición anterior elimina la mitología del Wing Chun, y presenta una ordenada sucesión de acontecimientos. Facilita también una senda que puede recorrer la gente interesada en la historia del Wing Chun.

MI PADRE, EL GRAN MAESTRO YIP MAN

Mi padre falleció el 1 de diciembre de 1972. Desde luego, en la vida del gran maestro Yip Man ha habido muchas cuestiones por las que vale la pena recordarle. Cuando pensamos en tan sólo veintidós años (1950-1972), vemos que de no existir el Wing Chun en Hong Kong, pasó a extenderse y abarcar todo el mundo, creando muchos artistas marciales respetados así como el culto al héroe Bruce Lee.

Lamentablemente, muchas de las alabanzas son artificiales. Mucho de lo que se ha escrito sobre Yip Man descuida sus mejores aspectos y no logra transmitir sus conocimientos, perdiendo así la oportunidad de influir en el resto del mundo.

La mayoría de los artículos se concentran excesivamente en la descripción de lo buen Kung Fu que Yip Man fue. Esto es un hecho que no se puede negar, pero debe recordarse que durante los últimos veinte años de su vida en Hong Kong, debido a su temperamento bien controlado, nunca se halló en una situación en la que tuviese que emplear sus técnicas de Kung Fu. Los relatos escritos de la destreza de Yip Man son en realidad tan sólo la historia de los días de su juventud, y de ninguna manera el modo por el que debe recordarse a Yip Man.

El mundo de las artes marciales es un círculo muy erudito; si sólo somos capaces de hablar de Kung Fu nunca seremos reconocidos como maestros. Actualmente, Yip Man es respetado en todo el mundo como uno de los más grandes maestros, y esto refleja la persona real.

Ha habido artículos que han exagerado el nivel de muchos autores, afirmando que ellos fueron los estudiantes favoritos y más próximos a Yip Man y que, por tanto, a ellos se les enseñó de forma diferente; además aseguran haber recibido enseñanzas sobre técnicas secretas (por ejemplo, el toque mortal o dim mak). Esto me preocupa y debo clarificar la situación.

En primer lugar, Yip Man se tomaba muy en serio su ética profesional. Trataba a todos sus estudiantes de la misma manera, haciendo todo lo posible por enseñarles sus conocimientos, y si trabajaban duro, todos ellos lo lograban.

Por tanto, espero que en el futuro no se produzcan nuevos escritos sobre Yip Man que sirvan tan sólo para promocionar al autor, lo cual de paso destruye la verdadera imagen de su amado maestro.

Segundo, dado que hoy en día vivimos en en una sociedad realista, no en la fantasía de las novelas, la verdad es que en Kung Fu no hay técnicas ni manuscritos secretos. Todo aquel que hable de técnicas o de manuscritos secretos, es que no entiende de qué trata el verdadero Kung Fu.

Quien haya pensado que Yip Man era sólo bueno en los aspectos prácticos del Kung Fu, es que no le entiende. En realidad, era más importante su capacidad para enseñar a la gente su Kung Fu que su propio Kung Fu.

Cuando Yip Man comenzó a enseñar en Hong Kong en los años 50, se dio cuenta de que para ser un buen instructor de Kung Fu no basta con ser muy bueno en el mismo; es esencial que el instructor sepa cómo enseñar a los estudiantes. Yip Man comprendió que el objetivo de la mayoría de los estudiantes era aprender verdaderamente el Kung Fu del maestro para conservarlo para sí mismos. Sin embargo, hasta ahora un gran número de instructores han dedicado demasiado tiempo y esfuerzo a vanagloriarse sobre su Kung Fu delante de sus estudiantes y de los medios de comunicación, más que emplear este tiempo en mejorar su método de enseñanza.

Aunque Yip Man no tenía una educación oficial para dirigir los entrenamientos como maestro, comprendió la importancia que tenía un programa en un método de enseñanza progresivo durante el proceso de aprendizaje de un estudiante. Lo primero que Yip Man hizo cuando comenzó a enseñar un programa de estudios fue abandonar todos los nombres complicados tales como pa kua o los cinco elementos (metal, madera, agua, etcétera) y adaptar el lenguaje a una forma moderna, haciendo que su comprensión por los estudiantes fuese más fácil.

Yip Man abandonó también el uso de palabras o frases claves (por ejemplo, "se te aproxima un golpe, haz un puente sobre la parte superior del brazo"), con lo cual no se perdía el conocimiento, puesto que las frases se traducían en ejercicios prácticos para que los estudiantes

Yip Man, 1894-1972

no tuviesen ya que recitar palabras clave que no tenían valor real.

En 1987 invité a todos los estudiantes de Yip Man que estaban enseñando, así como a los que se hallaban en Fatshan, a una reunión en un restaurante de Hong Kong. Analizamos nuestro Kung Fu y sus diferentes formas. El tercer estudiante de Yip Man en Fatshan dijo que el Wing Chun en Hong Kong estaba perdiendo muchas técnicas. Por ejemplo, en Chum Kiu no había conocimiento de los cinco elementos del juego de piernas. Entonces hizo una demostración, hablamos, y descubrimos que el Kung Fu enseñado en Fatshan y el que se enseñaba en Hong Kong eran el mismo, con la única diferencia de que se habían perdido estas misteriosas palabras clave.

Mucha gente ha dicho que Yip Man cambió su Kung Fu. Yo había de este asunto muchas veces con mi padre , y me dijo: "En Kung Fu, lo más sencillo es lo mejor". Las últimas palabras del gran maestro Leung Jan fueron: "He pasado toda mi vida intentando hacer que el Wing Chun sea más sencillo, pero no lo he logrado". Para que los estudiantes pudiesen aprender de modo más sistemático, adapté y ordené algunas técnicas". Por tanto, Yip Man nunca cambió las formas tradicionales, solamente abrevió las partes innecesarias. El motivo fue conseguir que a los estudiantes les resultase más fácil aceptar las formas.

Yip Man sabía que el Chi Sau es la parte más importante del Wing Chun; el Chi Sau es la inteligencia del Wing Chun, su genio. En consecuencia, se concentró mucho en el Chi Sau. Durante todo el proceso de aprendizaje, el Chi Sau constituirá casi el 90 por ciento de todo lo que se les enseñe a los estudiantes sobre Wing Chun.

El método de enseñanza de Yip Man consistía en enseñar de acuerdo con la personalidad, la profesión, la educación y la complexión corporal de cada estudiante. Él estudiaba todos los aspectos y luego establecía un método sistemático de entrenamiento para cada estudiante.

Yip Man tenía el talento de la buena observación y una memoria excelente. Le bastaba con tener una charla de 10-15 minutos para hacerse una imagen completa que nunca iba a olvidar. Le pregunté a mi padre sobre la relación entre el historial profesional y de educación. Su respuesta: "Muy importante. Si, por ejemplo, voy a enseñar a un estudiante que es un peluquero profesional, le resultará difícil mantener los codos hacia dentro; por tanto, hay que pensar en un método de entrenamiento distinto o buscar otra técnica para compensar. A la inversa, si tenemos un estudiante cuya profesión exija realizar trabajos manuales pesados o que ha estudiado un estilo duro de Kung Fu, entonces el enseñarle a relajarse será muy difícil y deberemos tener mucha pa-

Yip Chun cuidando la tumba de su padre, Hong Kong, 1989

ciencia. Al enseñar a estudiantes bien educados, bastará con que digamos: "La distancia más corta entre dos personas es una línea recta", y estos estudiantes lo entenderán con claridad, pero al enseñar a una persona sin educación, en general deberemos darle un ejemplo más práctico para que nos entienda".

Yip Man fue una persona muy realista, y todo lo que enseñaba tenía que explicarse e ilustrarse; nunca exageraba una técnica, usando ejemplos prácticos para explicar a sus estudiantes. Si estaba enseñando el uso de la posición wu sau, no le decía al estudiante que pusiese su mano más arriba o más abajo, más hacia adelante, etc., sino que más bien procuraría que el estudiante comprendiese el uso del wu sau mediante la experimentación con diferentes posiciones wu sau, dejando que el estudiante viese que posiciones eran las correctas.

Mi padre decía: "El ser humano debe usar el Kung Fu, nunca debe ocurrir que sea el Kung Fu el que utilice al ser humano".

Éstas eran palabras que Yip Man empleaba con frecuencia al enseñar Kung Fu a sus estudiantes, queriendo decir que el Kung Fu debe aplicarse libremente, con flexibilidad, y no restringiendo nunca el área en el que se emplea una sola técnica.

Hubo una ocasión en que Sifu Lok Yiu y Sifu Wong Shun Leong estaban hablando sobre Kung Fu y tenían una opinión diferente sobre una técnica particular, por lo que fueron a presentarse delante del gran maestro Yip Man. La técnica en cuestión era el tan sau en la tercera parte del Siu Lim Tao. Sifu Wong creía que el tan sau debe efectuarse con la palma mirando hacia abajo, y luego darle la vuelta a la salida. Sifu Lok creía que el tan sau debía usarse hacia delante manteniendo la mano cerrada formando un puño al lado del cuerpo. La respuesta que dio mi padre fue que los dos tenían razón. En aquel momento, aquello me confundió un poco debido a que yo creía que el Kung Fu debía ser absoluto. ¿Cómo podían ser correctos dos caminos diferentes? Más tarde comprendí que, puesto que el tan sau se usa para recibir un puñetazo directo del oponente desde dentro y que se debe hacer en el tiempo más breve posible, entonces el tan sau puede proceder desde cualquier posición en que se hallen las manos en aquel momento.

Hay miles de ejemplos de los métodos de enseñanza de mi padre; esto ha sido tan sólo un vistazo a una pequeña parte.

CAPÍTULO 5

CHI SAU

Debo empezar por decir que la teoría sola es totalmente inútil. No importa lo buena que pueda ser nuestra teoría (o filosofía), si no la ponemos en práctica no nos servirá para nada. No obstante, una buena base teórica puede ayudarnos a alcanzar mejores resultados mediante la práctica y hará que nos sea más fácil el mejorar.

En consecuencia, es preciso analizar algunos aspectos de la teoría, y un aspecto en particular: el Chi Sau. Ello se debe a que en el Wing Chun, el Chi Sau es un aspecto muy importante. Al aprender o practicar Wing Chun, nuestra habilidad no viene determinada por lo bien que hagamos las formas (técnicas con las manos) sino por lo bien que hagamos el Chi Sau.

Al jugar a Chi Sau, los estudiantes compañeros de Wing Chun se preguntan entre sí: "¿Cómo está tu

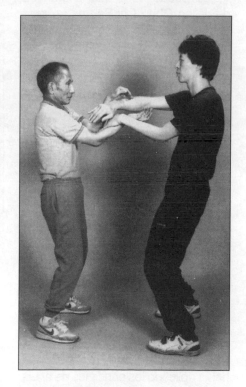

Yip Chun y Samuel Kwok

Chi Sau?" No usamos las formas o técnicas falsas invariables para comparar la habilidad sino que empleamos el Chi Sau. Esto es así porque todos estamos aprendiendo Wing Chun, y jugando unas pocas técnicas de Chi Sau podemos juzgar nuestra habilidad en Wing Chun. Por tanto, en mi experiencia de enseñanza del Kung Fu, el Chi Sau es el factor más importante.

¿Qué es el Chi Sau?

Se puede decir que la práctica del Wing Chun Chi Sau es un proceso o ejercicio de entrenamiento único porque, con independencia de nuestro estilo de Kung Fu, no hay nada comparable a él en cuanto a lo completo que es.

Ciertamente, el Kung Fu tiene "manos que empujan", pero de su versión puede decirse que es totalmente diferente del Wing Chun Sau, puesto que cuando se empuja con las manos solamente se aplica un tipo particular de energía. En consecuencia, creo que la técnica de "empujar con las manos" del Tai Chi no es muy completa.

Recientemente, en Inglaterra, hubo una niña llamada Imelda que también ganó un campeonato de "empuje con las manos" de Tai Chi. Aunque ella había aprendido un poco de Tai Chi con anterioridad, afirmaba que había aplicado los principios de energía del Wing Chu para ganar el cam-

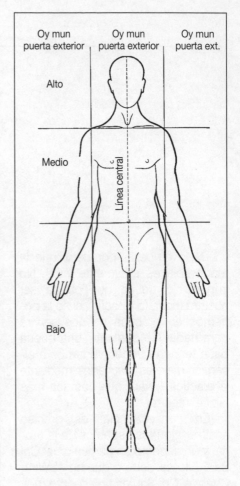

peonato. Por tanto, incluso ahora, casi no hay ningún estilo de Kung Fu que tenga un ejercicio tan completo como el Chi Sau en el Wing Chun.

¿Qué es lo que resulta tan especial en el Chi Sau?

Bueno, son sus propios ejercicios de entrenamiento. En primer lugar, debemos comprender que las manos pegadas no son iguales como formas que como lucha libre, y tener presente que el Chi Sau no es un conjunto de movimientos. El Biu Tze, las técnicas falsas invariables, el cuchillo, etc., pueden considerarse como formas, pero el Chi Sau no, puesto que no tiene movimientos fijos.

El Siu Lim Tao, el Chum Kiu y el Biu Tze tienen todos ellos movimientos y posiciones fijos. Incluso después de practicarlos un centenar de veces, siguen siendo iguales. No obstante, al jugar a Chi Sau, puede haber alguna similitud al principio, pero después de unas pocas técnicas, nada se repetirá exactamente a medida que se siga jugando.

El Chi Sau tampoco es como la lucha libre. La razón de ser de la lucha libre es la competición, la determinación de un vencedor y de un perdedor. El objetivo final es hacer caer al oponente.

Por otro lado, el Chi Sau es un ejercicio, un proceso de entrenamiento, y a partir de ello debemos aprender algo, y no me refiero al modo de derribar al oponente. Al Chi Sau hay que considerarlo como un puente entre las formas y la lucha libre. Una vez hayamos aprendido las formas, es preciso usar el proceso Chi Sau para "saltar" a la fase de lucha libre. El Chi Sau es un puente que enlaza las formas y las técnicas

de las manos con la realidad de la lucha libre.

Si no hubiese ningún proceso Chi Sau y aplicásemos las formas en la lucha libre con alguien, ¿funcionarían?

Sí. Por supuesto, podemos luchar en lucha libre con alguna otra persona incluso sin haber aprendido nada de Kung Fu (o formas). Pero, una vez hemos aprendido las formas y las técnicas con las manos, entonces querremos saber cómo aplicarlas en la lucha libre.

Si no hubiese proceso Chi Sau, ¿seríamos todavía capaces de hacerlo?

Sí, pero nos llevaría mucho tiempo. Esto quiere decir que es preciso participar en muchas luchas para que seamos capaces de aprender como aplicar las técnicas en la lucha libre. En el proceso de tener muchas luchas, nos encontraremos con que hay que pagar un alto precio. Parte del mismo es la posibilidad de sufrir graves lesiones. Este riesgo continuará existiendo hasta que hayamos aprendido a hacer frente a la lucha libre.

En consecuencia, el Wing Chun introduce el Chi Sau con la esperanza de que aprendamos todas las técnicas necesarias con él sin pagar este alto precio. Y el hecho de que estemos todos juntos aprendiendo las técnicas a partir del Chi Sau, y de que seamos compañeros de estudios y hermanos de Kung Fu hace que esto sea posible. Por ejemplo, los golpes con el codo y el lanzar los dedos contra los ojos están eliminados de las prácticas de los clubs para evitar las lesiones. La finalidad es que en una situación real de lucha libre el precio que tengamos que pagar para el éxito sea menor. Ésta es la función del Chi Sau.

Una vez hayamos aprendido todas las formas y técnicas con las manos, debemos usarlas en el Chi Sau para que podamos explorarlas por nosotros mismos. Entonces, podemos aplicar estas técnicas en la lucha libre. Ésta es la función de "enlace" del Chi Sau. Una vez hayamos aprendido las técnicas con el Chi Sau, podremos hacer frente a cualquier situación de lucha.

¿Qué podemos aprender del ejercicio Chi Sau y que podemos ganar con ello?

La mayoría de las personas están de acuerdo, y yo he dicho muchas veces: el Wing Chun es un sistema práctico que no parece bonito. Por lo tanto, ¿qué beneficios se obtienen del mismo? Son los dos principales que se adquieren mediante la práctica del Chi Sau:

• Nos proporciona un cuerpo sano y protección contra la enfermedad.
• Cuando lo usamos, funciona.

Dan Chi Sau - ejercicio de manos pegadas con una sola mano. Un ejercicio para enseñar a reaccionar a un movimiento y a fluir del ataque a la defensa o viceversa. Arriba: Oponente - fook sau, YC - tan sau

Como arriba, para mostrar falta de juego de pies y/o de giro del cuerpo

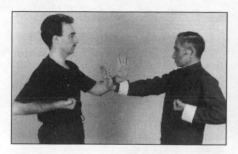

YC golpea con la palma vertical, su oponente desvía el ataque con jum sau

Entonces el oponente golpea con yat chi kuen (puñetazo sencillo). YC le hace frente con bong sau

Consideremos, en primer lugar, el factor de salud. Hay mucha gente que enseña Wing Chun y la mayoría descuida esta cuestión. ¿Cómo se puede mantener un cuerpo sano mientras se aprende Wing Chun?

Quizás el mejor modo de contestar a esta pregunta sea dando alguna información sobre mí mismo.

Nací en 1924 pero, a pesar de mi avanzada edad, todavía gozo de buena salud. Juego a Chi Sau con

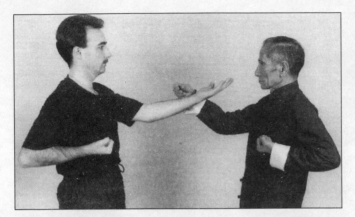

*Como en la página
anterior, cada vez
con técnicas
opuestas*

todos mis estudiantes durante un par de horas sin ningún problema. En cuanto a caminar, estoy seguro de que algunos de ustedes no podrían alcanzarme. Cuando camino con amigos desde Sai Kung hasta Sha Tin, pasando por unas pocas cadenas montañosas, tardamos unas cinco horas y todavía puedo hacerlo.

¿Cómo puedo lograrlo a mi edad? A veces me planteo una pregunta similar. En teoría, mi estilo de vida no es muy regular. A veces leo un libro hasta las 3 o las 4 de la madrugada, y puede que incluso no duerma en absoluto. A veces me acuesto muy tarde y otras muy temprano. En ocasiones no puedo dormir por la noche y me levanto para jugar con máquinas recreativas o me distraigo de alguna otra manera. En conjunto, mi estilo de vida no es normal. A veces como mucho, otras veces muy poco y en otras ocasiones nada en absoluto.

Todo el mundo sabe que, aunque no bebo nada de alcohol, soy un empedernido fumador en pipa. Por tanto, ¿cómo es que tengo un cuerpo tan sano? He pensado mucho en ello, y supongo que se debe principalmente al aprendizaje del Wing Chun.

Esto puede parecer carente de base o ilógico a mucha gente, pero he investigado mucho en relación con el Kung Fu. Por ejemplo, cuando una persona se siente enferma,

naturalmente es preciso tratar la enfermedad. En este mundo existen dos formas básicas de tratamiento de las enfermedades. Una es haciendo frente a la misma (como se hace en Occidente); es decir, que después de haber contraído una cierta enfermedad y de que el doctor la haya diagnosticado, éste prescribe alguna medicina o tratamiento para vencer la enfermedad y entonces el paciente se recupera. Por tanto, se trata de un método de "lucha contra" para tratar la enfermedad.

La otra manera es el método natural. En nuestro cuerpo hay anticuerpos que luchan contra los cuerpos extraños invasores. Naturalmente, cada cosa viviente tiene estas capacidades tanto si se trata de un animal o de una planta, pero dado que nosotros los seres humanos estamos viviendo en un activo mundo moderno, nuestra capacidad de defensa interna (o sistema inmune) está decayendo gradualmente, debido a la contaminación del aire, a la "comida basura", a la contaminación ambiental, al ruido, etcétera, y también a la tensión emocional. Esto no es evidente cuando se es joven, pero se hace más patente a medida que se envejece.

Las perjudiciales influencias que he mencionado afectan a nuestros cuerpos directa e indirectamente, produciendo mucho daño. Gradualmente, nuestro cuerpo se vuelve

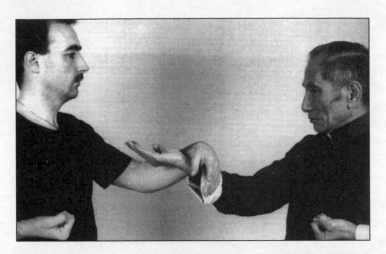

Posición de manos pegadas con una sola mano del oponente y de YC (oponente fook sau, YC tan sau). YC demuestra paso a paso el cambio desde la puerta interior a la puerta exterior. Esto tiene lugar durante el proceso de balanceo repetido. El oponente inicia el giro a bong sau

Cuando el codo del oponente gira hacia arriba, YC percibe el movimiento y...

menos sano, menos robusto. Y es aquí cuando es muy fácil contraer una enfermedad. En la medicina china, al cuerpo se le describiría ahora como débil, pero todavía es posible encontrar un modo de que el cuerpo recupere su fortaleza normal para que sus mecanismos de defensa puedan desempeñar sus funciones y luchar contra los inva-

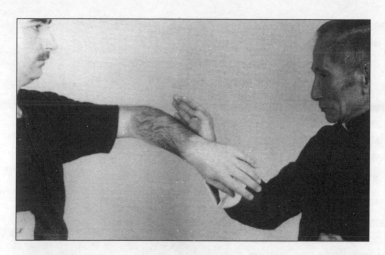

...comienza el huen sau para girar la muñeca por encima controlando al mismo tiempo la muñeca del oponente

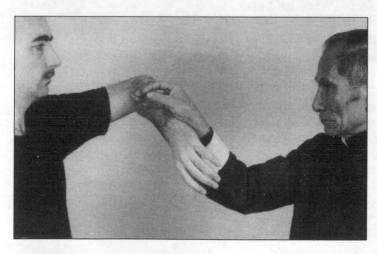

YC gira por encima del oponente con bong sau, controlando con la muñeca y el codo

sores extraños. En la medicina china hay dos modos de lograr que el cuerpo recupere su fuerza normal:
1) Tomando medicinas, normalmente un tipo caro, como el ginseng.

Aun en el caso de que podamos permitirnos el coste de tales medicinas existen otros inconvenientes, dado que cuanto más tomemos, más grande será la cantidad necesaria para lograr un efecto. Es posible desarrollar gradualmente una dependencia que puede conducir a la adicción.

2) Mediante el ejercicio o el entrenamiento para que el cuerpo regrese a un estado de salud. Naturalmente, existe una gran cantidad de ejercicios que pueden hacerlo. Uno que resulta evidente es el Qigong.

Últimamente una gran cantidad de gente ha comenzado a practicar el Qigong. Su propósito principal es aumentar los mecanismos de defensa del cuerpo de modo que pueda combatir efectivamente los trastornos y las enfermedades.

A algunas personas les gusta idolatrar o deificar el Qigong y en ocasiones afirman que, mientras lo hacen, pueden predecir el futuro, que pueden usar la energía "Qi" para curar a los enfermos, etc. Pero nosotros vamos a ignorar este tipo de afirmaciones.

En China, aparte del Qigong, hay muchos otros métodos de entrenamiento, tales como los ejercicios matinales, el Tai Chi y algunas otras formas de Kung Fu, ejercicios para mantenerse en forma o incluso el simple hecho de balancear los brazos y sacudir las piernas. Se puede ver a mucha gente a primeras horas de la mañana, en los parques o en lo alto de las colinas, haciendo al-

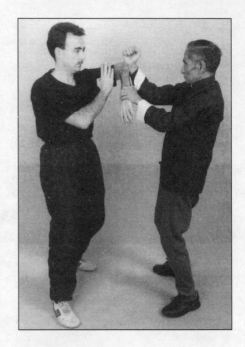

Ejercicio de lap sau.
El oponente desvía el puñetazo de YC con giro y bong sau

Técnica de aplicación de Lap sau.
En guardia

El oponente responde con un puñetazo

YC percibe el golpe y comienza a girar, elevando su codo izquierdo

YC aplica un lap sau al brazo adelantado del oponente, y ocupa la línea central. El oponente desvía con un tan sau

YC recibe el tan sau e instantáneamente lo convierte en un lap sau izquierdo, luego pasa a gum sau (la mano que agarra) para coger y atrapar, dejando la mano derecha libre para atacar

 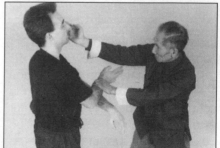

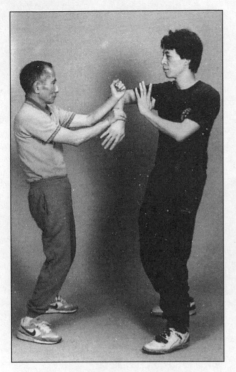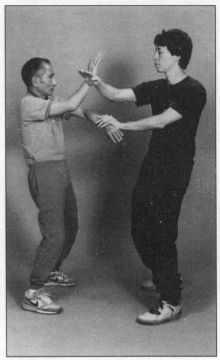

Técnica lap sau mostrando desviación y giro

gún tipo de ejercicio matutino. Estas personas son principalmente ancianos que han descubierto que la cultura física mejora sus vidas.

Pero, independientemente del método que usemos, si queremos tener un cuerpo sano, debemos ser conscientes de que en el proceso del ejercicio la mente debe estar relajada y concentrada exclusivamente en la actividad en cuestión. El no lograr esto equivale a no hacer ningún tipo de ejercicio en absoluto y los meca-

nismos de defensa de nuestro cuerpo no mejorarán significativamente. Por supuesto, es muy difícil relajar la mente y concentrarla simultánea y completamente en el ejercicio.

¿Qué tipos de Qigong hay?
Hay dos tipos:
- El Qigong taoísta, que pone el énfasis en la calma y el sosiego.
- El Qigong budista, que pone el énfasis en la estabilidad y la tranquilidad.

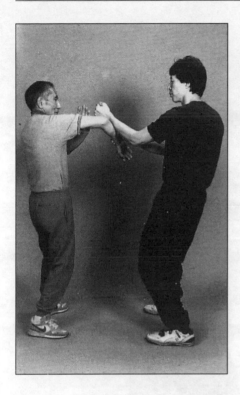

Por lo tanto, ¿qué se pretende con estos estados de sosiego y estabilidad?

Se refieren al estado de la mente ya mencionado, en el que simplemente relajamos del todo el cerebro y nos concentramos en la actividad. Esto es extremadamente difícil de hacer, especialmente en la sociedad actual.

Muchos profesores de Qigong comprenden que sus estudiantes encuentren difícil lograr el estado de calma o estabilidad requeridos. Para ayudarles se ha ideado una especie de método "hipnótico". Déjenme darles un ejemplo. En un tipo normal de Qigong en pie, el cuerpo está relajado y las manos sujetan una pelota imaginaria delante del cuerpo. Esta "pelota" debe sujetarse firmemente y no soltarla. Si se aflojan las manos, la "pelota" caerá al suelo. Una vez está en el suelo, todo el aire del interior de la misma se libera y esto indica que no estamos logrando aprender el Qigong.

Una vez que nuestra mente se esté concentrando en sujetar la "pelota" no estaremos pensando en nada más. Este método tiene algo de efecto hipnótico, y libera la mente de los constantes pensamientos cotidianos de facturas, transacciones comerciales y reuniones, etcétera. Nuestra mente todavía estará pensando, pero sólo en la "pelota".

Existen algunos métodos que se están usando con un mayor nivel de hipnosis para calmar completamente a la gente, pero no son una buena idea e incluso en unos pocos casos lo que se obtiene es el efecto opuesto. Dichas prácticas se exponen regularmente en televisión en Hong Kong y en China; muchas afirmaciones efectuadas por así llamados maestros de Qigong han sido refutadas y se les ha acusado de intentar estafar al público.

No obstante, para la mayoría de nosotros, es difícil concentrarse en

Cambios dentro del ejercicio de lap sau. El oponente aplica un lap sau al brazo de YC y golpea. YC gira con un bong sau para desviar el golpe

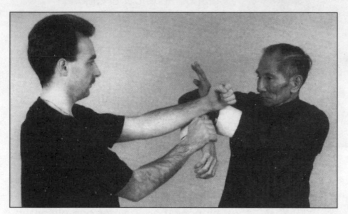

YC responde instantáneamente con un lap sau al golpe del oponente

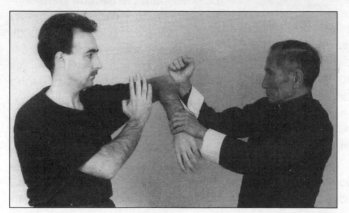

El oponente libera su contacto sobre el bong sau de YC y gira para desviar el golpe con un bong sau

El oponente intenta aplicar un lap sau a YC con su brazo bong sau

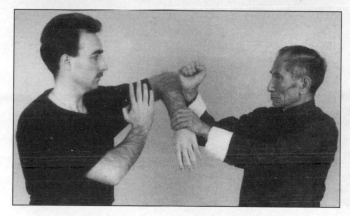

YC percibe el cambio de energía y responde a su oponente con un lap sau y golpea. El oponente desvía el golpe con un bong sau y gira, y de este modo prosigue el intercambio de ejercicios

el ejercicio y mantener la mente en calma. Pero existe un método que puede garantizar que no pensaremos en nada más una vez hayamos empezado el ejercicio.

¿Qué método es éste?
Chi Sau.

Hoy en día mucha gente está familiarizada con el Chi Sau o lo ha practicado. Bien, quizás algunas de estas personas piensan en algo mientras juegan a Chi Sau. Si lo hacen, pueden estar seguros de que se encontrarán con que recibirán golpes con mucha frecuencia de sus oponentes. Éste es el riesgo de no concentrarse en el ejercicio y así, en años recientes en particular, he descubierto que soy capaz de concen-

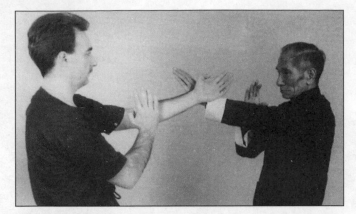

Cambios dentro del ejercicio de lap sau. Postura de en guardia, es decir, ventaja neutral

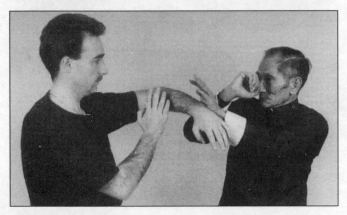

YC aplica un lap sau al brazo adelantado de su oponente. El oponente lo convierte en bong sau y gira para desviar el golpe

El oponente ocupa con un wu sau su jic seen (línea central) para aplicar un lap say al puñetazo de YC

YC percibe el contacto en su muñeca y responde con un lap sau golpeando con sun brazo. Eleva su codo izquierdo para efectuar un bong sau a fin de controlar adicionalmente el brazo derecho de su oponente

Una vez el lap sau de YC comienza a desviar el brazo derecho de su oponente, YC transforma su mano izquierda en un puñetazo

El oponente percibe el lap sau de YC y golpea y gira para desviar con un bong sau, y así va continuando el ejercicio

trar mi mente solamente en el Chi Sau. Una vez hemos comenzado a jugar Chi Sau, definitivamente no debemos pensar en nada más. Naturalmente, hay una gran cantidad de deportes en los que se necesita concentración pero no tienen necesariamente elementos Chi Sau. En algunos otros deportes muy enérgicos, tales como un partido de fútbol o un asalto de boxeo, no nos atreveríamos a descuidar nuestra concentración. Pero, con todo lo absorbentes que son, ¿tienen éstos el mismo valor de relajación que el Wing Chun Chi Sau? De paso, esto nos lleva a

otro punto: es preciso tener un ambiente relajante en el que se puedan desarrollar actividades deportivas, para permitir que la gente se concentre en el deporte.

El Chi Sau puede compararse con los mejores métodos de ejercicios de entrenamiento corporal; es una buena forma de ejercicio para el cuerpo, para mantener la salud, y para desarrollar las técnicas e inteligencia de un individuo. Estos beneficios forman una parte que es exclusiva del Chi Sau, y creo firmemente que debo mi buena salud actual a la práctica del ejercicio.

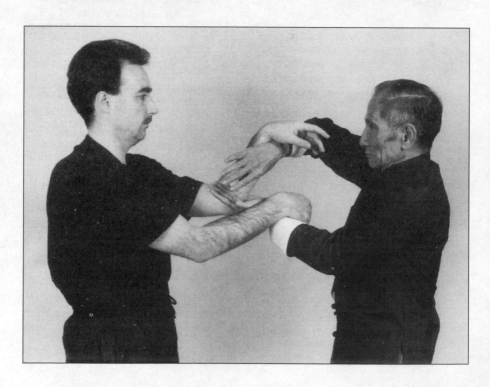

Yo dije que la otra gran virtud del Chi Sau es que cuando lo usamos funciona. Para explicarlo necesito atraer la atención del lector hacia las técnicas usadas en la lucha libre, es decir, al aspecto marcial. Es necesa-

Seung Chi Sau - Chi Sau con las dos manos.
No es un método de lucha. Se trata de un juego para desarrollar la sensibilidad, los reflejos, las posiciones y las técnicas. Enseña a atacar, a defenderse, a contraatacar, y a responder a la defensa, cambiando continuamente la ventaja de uno a otro. Cuando los dos brazos están enlazados, nos ponemos a nosotros mismos en una posición de confianza.
Las fases del Chi sau son las siguientes:
1. Poon sau - brazos que se balancean
2. Luk sau - brazos que se balancean con la energía que va hacia delante. Entrenamiento para el lut sau jic chung (mano perdida con el empuje hacia delante).
3. Jeung sau - cambio de puerta interior a puerta exterior o viceversa.
4. Gor sau - libre aplicación de la técnica.
Poon sau - manos que se balancean.
Posición 1 - YC balancea las dos manos sobre la puerta interior, es decir derecha: bong sau, izquierda: tan sau.

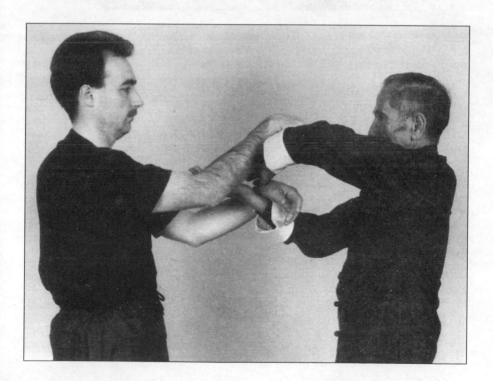

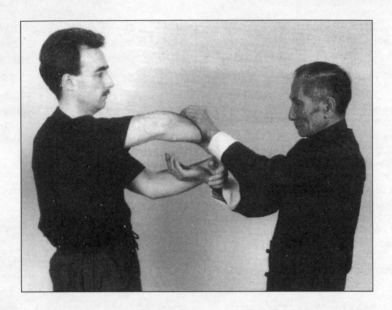

Posición 2 - YC balancea su mano derecha sobre la puerta interior y la mano izquierda sobre la puerta exterior, es decir, fotografía superior R: tan sau, L: fook sau se balancea hasta la posición de la fotografía inferior. R: bong sau, L: fook sau

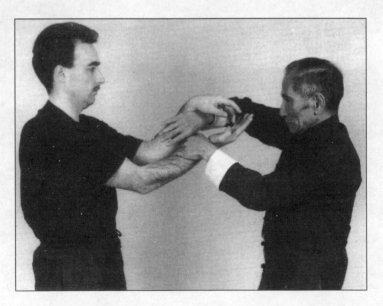

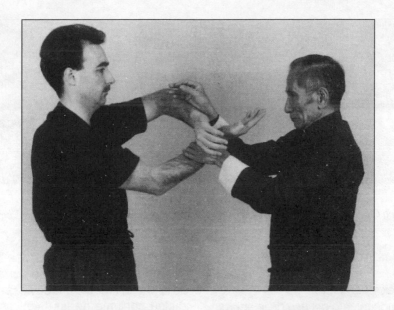

Posición 3 - YC balancea sus dos manos sobre la puerta exterior, es decir fook sau con las dos manos

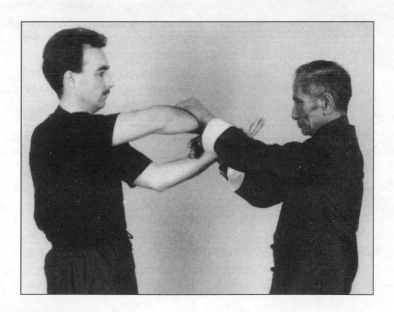

El Wing Chun pueden practicarlo fácilmente y con seguridad tanto hombres como mujeres

rio desarrollar cuatro áreas particulares:

• posicionamiento
• conocimiento del uso de la energía
• sensibilidad y reflejos
• técnicas con las manos

Siempre he puesto énfasis en estas cuatro cosas, y probablemente no son nuevas para el lector. Mi intención es tratar cada una de ellas por turnos, pero, por supuesto, estas cuatro técnicas en la lucha libre debe ejecutarse al mismo tiempo, no siendo posible su realización por separado. No podemos hablar independientemente de las técnicas con las manos. Esto es así porque, con frecuencia, necesitamos incorporar también sensibilidad y reflejos, un correcto uso de la energía y una posición adecuada. Y además, la sensibilidad y los reflejos solos carecen de sentido porque únicamente aparecen cuando ejecutamos una técnica con las manos. El uso correcto de la energía requiere todavía la utilización conjunta de las técnicas de las manos y el posicionamiento. Y con el posicionamiento todavía necesitaremos las técnicas de las manos, la sensibilidad y los reflejos, etcétera, tal como se ha indicado antes. Por tanto, cuando estamos inmersos en la lucha libre, estas cuatro cosas funcionan como una única acción integrada. De hecho, si podemos dominar e integrar estas cuatro cosas, podremos hacer frente fácilmente a cualquier situación en la mayoría de las circunstancias.

Pero todavía necesitamos descomponer esta acción en sus partes componentes para que todo el mundo pueda entender lo que son.

En muchas ocasiones, en seminarios que he mantenido, la gente me ha preguntado cómo haría frente a alguien que me golpease de un modo determinado. Me parece que puedo contestar a estas preguntas con facilidad.

Pero después, reflexioné un poco sobre ello; nunca en mi vida me he peleado, aparte de unas pocas riñas medio olvidadas y sin importancia de la niñez, pero cuando me preguntan sobre esto, puedo responderles muy fácilmente. ¿Por qué?

Creo que la respuesta es que he jugado mucho a Chi Sau; y en mis treinta y tantos años de experiencia

con este aspecto del Wing Chun, los cuatro puntos antes relacionados son de importancia primordial: buena técnica con las manos, buena sensibilidad y reflejos, conocimiento del uso de la energía y buen posicionamiento.

Si sólo practicamos contra un puñetazo que se nos aproxima en una determinada dirección, ¿cómo podremos hacer frente a un puñetazo que provenga de otra dirección? ¿No nos encontraremos totalmente perdidos? Debemos aprender un

Po Pai - aplicación de dobles palmas que empujan. YC contacta con los dedos

YC se desplaza hacia dentro para controlar antes de aplicar el po pai

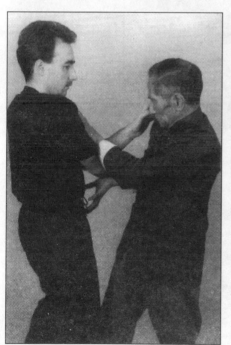

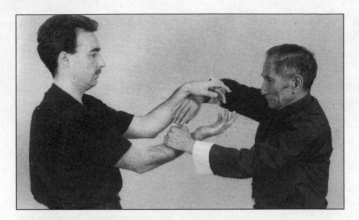

Aplicaciones del Chi Sau. Deben leerse y entenderse como movimientos fluidos continuos. El oponente y YC se balancean hacia el Chi Sau

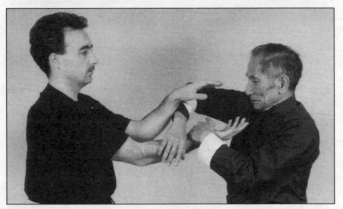

YC comienza a introducir bong sau por encima de la línea central

YC aplica un pak sau hacia abajo sobre el tan sau de su oponente con el brazo derecho fingiendo al mismo tiempo un golpe con la izquierda

YC gira instantáneamente hacia la izquierda para convertir el falso golpe con la izquierda en un pak sau para controlar las dos manos de su oponente al tiempo que libera su mano derecha

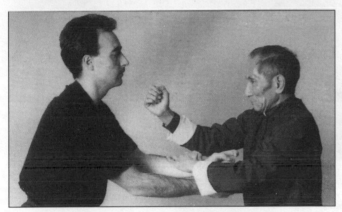

YC atrapa y controla las dos manos de su oponente con la izquierda, dejando a su derecha la elección de los objetivos

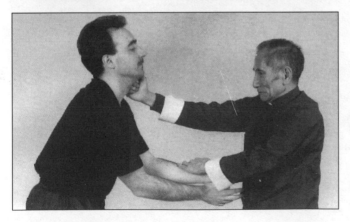

YC elige golpear la garganta - porque está allí - y sonríe interiormente. Su oponente sonríe externamente con alivio ante el control de YC

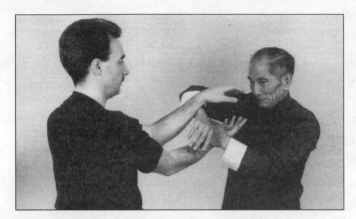

Aplicaciones del Chi Sau. Conformen entran el el Chi Sau YC adelante su izquierda por encima de su bong sau derecho

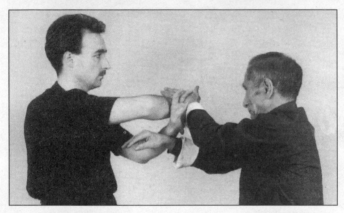

Conforme el brazo del oponente se balancea para pasar a un bong sau, él adelanta su fook sau izquierdo detrás del bong sau y del lap sau de YC

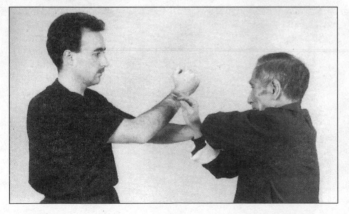

El oponente retira su brazo derecho y da un puñetazo hacia la línea central

método tal que nos permita, con independencia del modo en que estén tratando de golpearnos, hacer frente a la situación de forma natural. El método se compone de estas cuatro cosas y, como he mencionado antes, para que el movimiento sea efectivo, deben ejecutarse juntas.

De estas cuatro cosas, la más fácil de aprender son las técnicas con las manos, que son también las menos importantes. Esta opinión está basada en mi experiencia de enseñanza de Kung Fu. Practico Chi Sau con una clase cada día durante dos horas. Durante este tiempo me concentro en un individuo tras otro y el resto de la clase puede observar las técnicas con las manos. Naturalmente, a medida que pasa el tiempo, la gente aprende a ejecutar mis técnicas; para llegar a esta conclusión, basta con mirar a mis estudian-

YC se inclina ligeramente y usa su gung lik (energía del codo) para destruir el intento de tenaza de su oponente y pasa a un biu tze sau desde detrás de su bong sau

El oponente sustituye su leve puñetazo por un gum sau (mano tenaza) y golpea con su izquierda, pero YC utiliza su posición superior y gung lik para mantener el control de la línea del centro

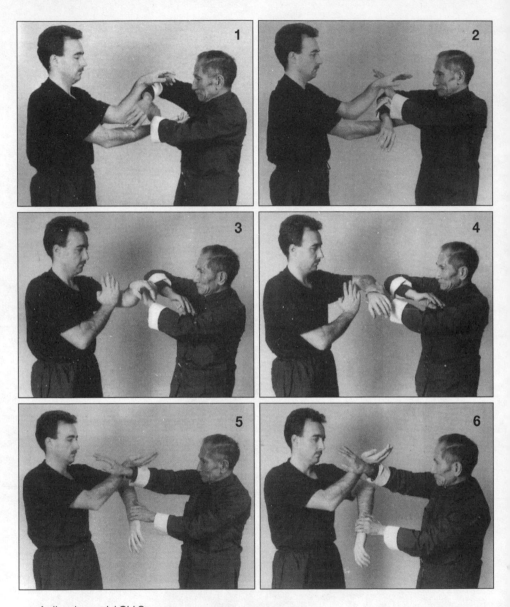

Aplicaciones del Chi Sau
1. Cuando se balancean hacia un Chi Sau, YC adelanta su izquierdo por encima de su bong sau derecho.

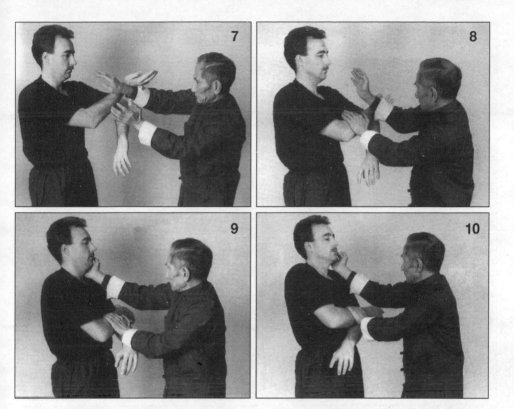

2. YC intercambia el contacto de sus brazos, dejando caer su bong sau hacia abajo al tiempo que adelanta su wu sau.

3. Entonces YC aplica un lap sau a la parte superior del brazo de su oponente y pasa a un fak sau (golpe rápido con el brazo).

4. El oponente siente el lap sau y se vuelve para desviar el golpe potencial con un bong sau.

5. YC adelanta un golpe alto por lo que su oponente avanza su forma wu sau con la mano para cubrir el kwun sau (una combinación de tan sau alto y de bong sau bajo).

6. YC, como siempre con dos movimientos de ventaja, reacciona convirtiendo su golpe en un lap sau...

7. ...tirando hacia abajo del tan sau de su oponente por encima de su bong sau y liberando la mano izquierda de YC...

8. ...que YC convierte en un gum sau (mano tenaza) liberando su mano derecha.

9. El gum sau atenaza los dos brazos del oponente y YC golpea la garganta con el talón de la palma.

10. Entonces YC balancea su pulgar hacia la cuenca del ojo izquierdo de su oponente y por suerte se detiene.

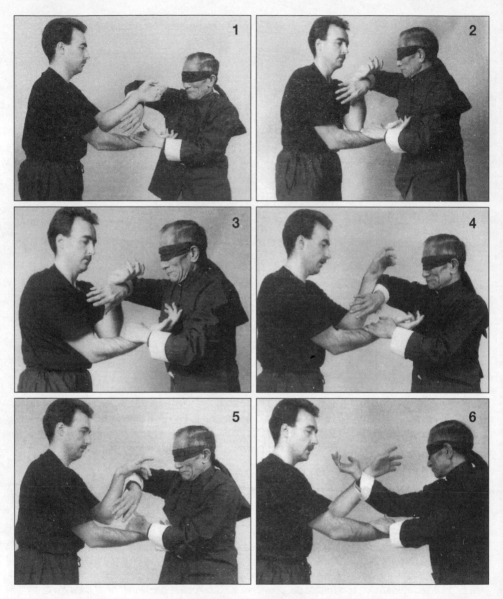

Chi sau con los ojos vendados. El nivel más alto de manos pegadas es defenderse con los ojos vendados. Este entrenamiento refina y pule la sensibilidad.
1. YC engaña a su oponente.

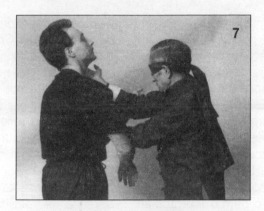

2. *YC presiona su bong sau hacia delante y presiona a su oponente levemente hacia abajo para crear una reacción.*
3. *El oponente siente la presión del bong sau y disuelve la energía usando un seung lik (retirando la fuerza) usando al mismo tiempo un gung lik (energía del codo) para mantener la posición tan sau.*
4. *YC percibe el gung lik de su oponente y se inclina ligeramente para disolver sus efectos, al tiempo que usa su bong sau con el codo para controlar el fook sau de su oponente.*
5. *YC interrumpe su energía bong sau (seung link) al tiempo que controla todavía el tan sau de su oponente.*
6. *El oponente percibe como YC interrumpe su energía bong sau y empuja hacia delante. YC instantáneamente pasa de bong sau a tan sau y ocupa la línea central. La cara de su oponente muestra que se da cuenta del truco, mientras YC sonríe para sí mismo.*
7. *YC se acerca usando un pak sau izquierdo para controlar la mano izquierda de su oponente mientras el codo izquierdo de YC controla el brazo derecho de su oponente. El golpe con la derecha de YC es bloqueado, por ¡la garganta de su oponente!*

tes. Y, es evidente, que resulta más fácil aprender una técnica cuando se puede observar.

Si hacemos un lap sau con la mano, entonces nuestro oponente le hará frente tal como se muestra en la foto. Puede necesitar algún tiempo para aprender como contrarrestar nuestro movimiento, pero finalmente lo aprenderá, porque será capaz de verlo cada vez mejor.

Pero las otras tres técnicas no se pueden ver. ¿Se pueden ver la sensibilidad y los reflejos? No. ¿Podemos ver cómo se está usando la energía? Ciertamente, no. No, ni siquiera permaneciendo junto a esta persona.

Al practicar Chi Sau, si prestamos atención nos daremos cuenta de que podemos sentir cómo es la energía de la otra persona pero sin ver dicha energía. El posicionamiento tampoco se puede ver. Y, por supuesto, una técnica compuesta por un conjunto fijo de movimientos es más fácil de aprender que otra que no sea así. Es fácil, por ejemplo, aprender los movimientos del boxeo, y si una sesión no es lo bastante larga, entonces podemos ver dos o quizás tres. Pero el Chi Sau es más difícil de aprender porque no es un conjunto fijo de movimientos en la misma dirección.

Podemos saber cosas sobre sensibilidad y reflejos pero, ¿cómo podemos *ver* la sensibilidad y reflejos de otra persona? Cuando alguien ejecuta un movimiento, podemos decir: "¡Caramba, este sí que ha sido rápido!". Hablando en general, el movimiento ha incluido sensibilidad, reflejos, y buen posicionamiento. Cuando se me acerca un puñetazo, yo ya sé lo que pretende mi oponente y lo contrarresto con mucha rapidez. Yo combino las técnicas de las manos con un buen posicionamiento, un uso correcto de la energía, la sensibilidad y los reflejos.

¿Cómo aprendemos la sensibilidad y los reflejos si no podemos verlos? Y si no podemos verlos, ¿no será una pérdida de tiempo el intentar aprenderlos?

La sensibilidad y los reflejos pueden adquirirse incluso aunque no se puedan ver, y son difíciles de aprender. La explicación es que, dentro del proceso del Chi Sau, como es lógico desarrollaremos una buena sensibilidad y reflejos a medida que nos familiaricemos con el ejercicio. Esto es así, porque si no tenemos sensibilidad o reflejos, entonces al oponente le resulta muy fácil golpearnos, por tanto desarrollaremos estas habilidades por mero instinto de conservación. Está claro, pues, que aprender sensibilidad y reflejos no es una pérdida de tiempo. Se pueden adquirir siempre y cuando sigamos practicando Chi Sau. En consecuencia, no hay que asustarse ni apresurarse a aprender estas cosas.

Pasemos ahora a la energía, que está considerada como la más importante de las cuatro áreas. La energía debe contemplarse desde varios ángulos. La cuestión más importante es que debemos saber cómo conservarla. En muchas ocasiones utilizo el dinero de bolsillo o calderilla como comparación. Supongamos que el lector tiene mucho dinero y que el que esto escribe sólo un poco, pero que el lector lo derrocha. El resultado es que, cuando este último lo necesita, le queda poco o ninguno. Por lo que al autor se refiere, bien, quizás tiene poco dinero, pero sabe perfectamente cuanto tiene. Y puesto que sabe cuanto tiene, no lo derrocha ni lo gasta en cosas innecesarias. Cuando no hay necesidad de gastarlo no lo hace. En consecuencia, en cualquier momento, suele tener dinero para gastar. Con la energía ocurre exactamente lo mismo. Si confiamos en el hecho de que somos jóvenes y vigorosos, puede que tengamos mucha fuerza, pero al final siempre hay una limitación en la cantidad de energía de que disponemos.

Los humanos tienen limitaciones. Los jóvenes y fuertes pueden creer que pueden gastar energía siempre que quieren, pero puede haber un momento en que se agote justo cuando la necesiten. Si conservamos la energía y no la despilfarramos en cualquier cosa, siempre dispondremos de ella cuando queramos utilizarla.

En combate, aquellos que tienen mucha experiencia, deliberadamente nos harán gastar nuestra energía hasta que nos quede poca, y entonces se podrán tomar el tiempo que precisen para atacarnos. Por tanto, la primera lección es: conservar la energía.

La segunda se refiere al uso de la energía. Si se sabe cómo usar la energía y se utiliza en la posición y dirección correcta, entonces los resultados serán buenos.

Mi padre, el gran maestro Yip Man, siempre me decía a mí y a sus estudiantes: "Si practicáis Chi Sau con alguien que no conocéis, para averiguar lo bueno que es, debéis observar la sensación que os produce el contacto con él. Si vuestro brazo está en contacto con el suyo y tenéis la sensación de que el suyo está tenso o sólido como una roca y está presionando el nuestro hacia abajo, entonces su técnica no puede ser muy buena y su técnica con la mano será lenta. Por otro lado, si percibimos que su brazo carece de energía y es ligero y blando, pero que siempre está pegado al nuestro, entonces debéis tener cuidado, puesto que ello querrá decir que es hábil o experto".

Esto es muy cierto, como sin duda el lector aprenderá algún día.

Cuando Yip Man me contaba estas cosas, es posible que mi Kung Fu no fuera tan bueno. Sólo ahora estoy comenzando a entender lo que quería decir. Al balancear las manos, por ejemplo, ¿cree el lector que es necesario emplear energía? Básicamente, no hay necesidad de usar energía en absoluto y si se hace, se desperdicia. Y si empleamos energía innecesariamente para contener a nuestro oponente, entonces estaremos desperdiciando energía. Después de unos cuantos balanceos, nuestro oponente sacará ventaja de ello y lo utilizará en contra nuestra.

Esto nos lleva a un tercer aspecto de la energía: la podemos "tomar" de nuestro oponente si la utiliza en el momento equivocado. Esto es el uso de la energía en su más alto nivel.

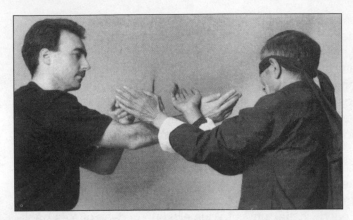

YC desvía el golpe con la derecha del oponente. El oponente inicia un ataque con la izquierda...

El uso correcto de la energía aumentará nuestra habilidad en Chi Sau en más de la mitad.

Mucha gente no sabe apreciar la diferencia entre el Chi Sau y la lucha libre. Y si confunden los dos términos tendrán muchos problemas, y a lo mejor querrán estar golpeando a la gente constantemente. Si pensamos de esta manera, se nos presentarán muchos problemas; si no logramos golpear a cierta persona y por contra ésta consigue golpearnos, nos enfadaremos. Entonces intentaremos devolverle los golpes con mayor fuerza y posiblemente incluso jugando sucio. Pero utilizar un juego sucio para golpear a la gente es una actitud muy mala hacia el Chi Sau. Esto es porque todos somos estudiantes compañeros, hermanos de Kung Fu, y todos esperamos aprender algo. Cuando utilizamos tretas para golpear a alguien, este alguien sentirá el dolor. Y al final,

...que tan pronto como es percibido lo atenaza y atrapa. De nuevo, YC introduce su mano libre hasta la barbilla de su oponente

El Chi Sau que se muestra aquí pone de manifiesto el nivel de habilidad que se puede obtener

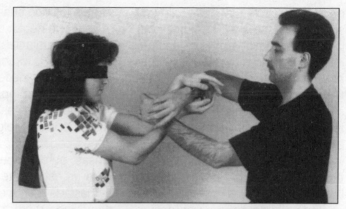

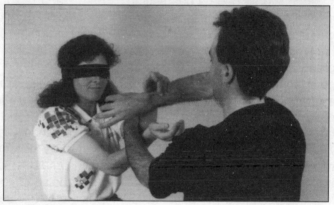

nadie estará contento con ello. En una situación así, una persona de buen temperamento pensará: "Muy bien, no más Chi Sau contigo. Me da miedo practicar contigo". Pero una persona de mal temperamento tratará de devolvernos los golpes sin importarle en qué lugar. Entonces se producirá una desagradable escena. Habiendo sido maestro de Wing Chun durante mucho tiempo he visto algunas de estas escenas,

aunque, naturalmente, siempre intento evitar que se produzcan.

Había dos estudiantes, por ejemplo, que estudiaban en la misma facultad universitaria juntos y se licenciaron el mismo año. Eran muy buenos amigos y acudieron a mí para aprender Kung Fu. Los dos lo lograron y sus técnicas de Kung Fu son muy buenas.

Pero mientras estuvieron practicando Chi Sau como aprendices, de alguna manera se desarrolló una situación desagradable. Al final, dejaron de ser amigos. ¿No es una pena? Al principio muy amigos, y acabaron no queriendo verse más. Cuando uno venía el otro se marchaba. Se evitaban el uno al otro. Intenté ayudar unas pocas veces hablando con los dos, pero sin ningún resultado. ¿No es una lástima que por abusar del Chi Sau su amistad haya acabado?

Todo ello se debe a una actitud incorrecta hacia el Chi Sau. La pregunta más importante que debemos hacernos es: "¿Por qué necesito practicar Chi Sau?". El Chi Sau es para aprender. Puesto que todos estamos aprendiendo algo juntos, da lo mismo que yo te esté golpeando a ti o que tú me golpees a mí. ¿Por qué preocuparse por ello? A mí me golpea un estudiante mientras estoy enseñando, ¿y qué? Si logra golpearme a mí, pues ha logrado golpearme a mí. No me preocupa en lo más mínimo. Si me golpea por error, sigue sin preocuparme. No hay necesidad de enfadarse por ello. De hecho, cuando un practicante de algún otro estilo de Kung Fu pretende enseñar Wing Chun, hace el ridículo. La razón es que al practicar Chi Sau puede ser golpeado por el estudiante en cualquier momento. Esto no es ninguna sorpresa: labios partidos y narices rotas son cosas que siempre les ocu-

rrirán a los que enseñen Wing Chun, puesto que deben practicar Chi Sau con los estudiantes.

Durante la práctica del Chi Sau hay que permanecer frío en relación con nuestros compañeros estudiantes; únicamente así seremos capaces de aprender algo. Entonces seremos capaces de penetrar las defensas para golpear al oponente. Pero un estudiante que golpea con demasiada fuerza o que replica con demasiada rapidez acabará teniendo sólo a su sifu (maestro) como oponente dispuesto a practicar con él. No es posible mejorar nuestras técnicas de Kung Fu de este modo.

Lo primero que aprendemos es cómo golpear, y lo segundo es como hacer frente a un ataque. Debemos aprender de las técnicas de manos de nuestro oponente y ver donde radican sus puntos débiles para que podamos devolver los golpes. Pero si golpeamos al oponente de modo que pueda sentir el dolor, entonces nos preocupará que él vaya a devolvernos los golpes, con lo que no aprenderemos nada. Para poder aprender algo debemos mantener nuestro temperamento bajo control. Ésta es la actitud correcta para aprender el Wing Chun y es preciso observarla.

Si quiero defenderme contra alguien que me ataca con otro estilo de Kung Fu, ¿debo enfrentarme a él de un modo diferente en términos de técnicas de manos?

En lo referente a las técnicas de manos y a la cuestión de golpear a la gente, todo es lo mismo; muy sencillo, el oponente intenta golpearnos y si realmente dominamos los cuatro componentes de la técnica podemos hacer frente a la situación, incluso usando las piernas si es necesario, especialmente si somos buenos en posicionamiento y tenemos una bien desarrollada sensibilidad y reflejos. No es preciso que nos preocupemos por las técnicas de manos o por el estilo de Kung Fu que el oponente esté empleando, para golpearnos tiene que avanzar hacia su objetivo. Si todos los aspectos de nuestra técnica son buenos y completos, nuestra reacción será natural y no habrá ninguna necesidad especial de realización de un ensayo previo. Debemos preguntarnos si dominanos los cuatro fundamentos. ¿Hemos dedicado suficiente tiempo al Chi Sau?

¿Tiene el Wing Chun técnicas con las piernas? En caso afirmativo, ¿cómo las practicamos?

En la práctica del Wing Chun con un muñeco (hombre de madera) hay ocho movimientos con las piernas, y cada una de ellas se emplea bajo diferentes circunstancias. Si nuestra técnica Chi Sau es buena y dominamos las técnicas básicas, hemos de ser capaces de ejecutarlas.

Al principio, ha mencionado usted que si se practica mucho el Chi Sau, nuestra técnica y sensibilidad mejorarán. Algunas personas dicen que esto perjudica el desarrollo de las técnicas con las piernas.

Si nuestro posicionamiento y reflejos son buenos, no veo porque debe haber el menor problema. Cuando se practica con el muñeco, se entrenan las piernas y, una vez dominada la forma con el muñeco, éstas deberán ser poderosas. Nunca he mencionado nada relativo al lado "pesado" (fuerte o potente) de las cosas, sólo sobre el hecho de golpear a la gente un poco fuerte. El Chi Sau no es una cuestión de que las manos o las piernas sean fuertes o poderosas. Si queremos entrenar nuestro puñetazo, o nuestras piernas, debemos dedicarle mucho esfuerzo. Para entrenar las piernas, debemos aflojar los músculos de las mismas. Para entrenar los puñetazos, debemos practicar mucho los puñetazos directos al aire.

Mucha gente cree que el Wing Chun es un estilo "flojo" pero para otros, se trata de un estilo "duro". No estoy demasiado seguro de si el estilo "duro" puede recibir un golpe de un estilo "flojo" y de si el estilo "flojo" puede recibir un golpe de un estilo "duro"...

Ciertamente, es posible decir que un oponente puede resistir nuestro golpe y que nosotros puede que no resistamos el suyo. No creo que el Wing Chun sea un estilo "blando" de Kung Fu sino duro. Esto es así porque cuando estamos golpeando a alguien tenemos que usar energía, dicho de otro modo, fuerza. En otras palabras, el oponente no sentiría el dolor y aquello le parecería un simple arañazo. Yo dije que la única vez en que usamos energía es cuando la necesitamos, cuando damos un golpe, por ejemplo. No tiene sentido golpear al oponente sin nada detrás del puñetazo. El tiempo empleado para gastar energía al golpear es muy corto. Cuando lanzamos un puñetazo, éste debe ser más rápido y más potente que el de nuestro oponente. La razón de ello es que la cantidad de tiempo que dedicamos a gastar energía es muy breve –el tiempo preciso para dar el puñetazo– mientras que el oponente está todo él tenso y usando energía constantemente.

¿Ha practicado usted alguna vez sus puñetazos para ver si son lo bastante potentes para infligir dolor o no?

Con todo esto de lo que se trata no es de ser potente en Wing Chun, sino de practicar los puñetazos de modo que puedan ser potentes. El que nosotros podamos recibir un puñetazo de nuestro oponente o que él reciba el nuestro depende de nuestra

fuerza física y de nuestra capacidad de autodefensa. No tiene nada que ver con el hecho de que se practique un estilo de Kung Fu "flojo" o "duro". No debemos creer que el Wing Chun es "flojo". De hecho, el Wing Chun es "duro". Cuando un puñetazo llega a su objetivo, es sólido como una roca. Cuando un puñetazo es blando al alcanzar su objetivo, ¿cómo puede infligir dolor al oponente? En combate, un puñetazo blando es inútil.

Los estudiantes que practican mucho los puñetazos contra sacos de pared o al aire, saben que estos puñetazos pueden ser muy potentes. Si el oponente está tenso y desperdicia energía desde el principio hasta el final, mientras que nosotros sólo usamos energía cuando la necesitamos, entonces nuestros puñetazos serán más potentes que los suyos aunque el oponente sea más fuerte.

Se pone mucho énfasis en el hecho de que las manos deben ponerse sobre la línea central, pero yo sólo tengo una línea central. Supongamos que el oponente ha ocupado ya la línea central, ¿debo retomarla o competir por ella, o debo desplazarme hacia otra posición para compensar esta desventaja? A veces he creído que yo y mi oponente ocupamos la línea central del otro.

No hay razón por la que no podamos hacernos con el control de nuestra propia línea central y tener que dejar ocupar a nuestro oponente la misma. Debemos ser capaces de mantener nuestra línea central de modo que el oponente no pueda controlarla.

Es posible que nuestra línea central y la del oponente estén un poco mezcladas. Al oponente le resultará difícil ocupar nuestra línea central, por lo que no será tan necio como para intentarlo. Si lo hace, estará muy pasivo o tendrá que hacer un gran esfuerzo. Si tiene una verdadera lucha con nosotros, se cansará muy pronto. Si intenta ocupar nuestra línea central y nos movemos, tendrá que dar la vuelta e intentarlo de nuevo. En el Chi Sau es lo mismo.

Naturalmente, la cuestión debe estar en realidad sobre el meridiano, que es la línea que enlaza nuestra línea central y la del oponente. Ésta es la línea que hay que tomar. El que logre controlar el meridiano estará en situación ventajosa. La base de un buen posicionamiento se basa más en un buen control del meridiano que en el control de nuestra línea central o la del oponente.

Cuando practicamos el Chi Sau, ¿cómo usamos la energía? ¿Empujándonos el uno al otro, o de algún otro modo?

El Wing Chun dice que hemos de usar la energía con un poco de reflexión. En este aspecto debemos ser ingeniosos. Lo cual quiere decir que hay que saber cuándo debe usarse y cuando hay que conservarla. Significa también saber donde usarla; ¿en qué posición o ángulo nos dará ventaja su empleo? Si mi mano está manteniendo la tuya a distancia de tal manera que mi posición es un poco mejor que la tuya, entonces lucharé contigo. Si la situación es la inversa, entonces no me enfrentaré contigo y trataré de evitarte.

Aprenderemos las circunstancias adecuadas en las que hay que gastar energía practicando mucho el Chi Sau. Aunque mi oponente pueda ser más grande y fuerte que yo, y yo no sea tan joven como él, si mi posicionamiento es mejor que el suyo, no podrá enfrentarse conmigo.

¿Qué efecto tiene el ser grande y fuerte en el Chi Sau?

Siempre es ventajoso ser grande y fuerte, y tener mucha fuerza incluso estando relajado. Por tanto, la gente de constitución pequeña deberá ser todavía más hábil en el uso de la energía y conseguir ser más ágil. El ser ágil puede significar simplemente que dando un par de pasos más y girando en unas pocas posturas más, podamos evitar el empleo de la fuerza contra la fuerza.

CAPÍTULO 6

SIU LIM TAO
(LA PRIMERA FORMA)

El Siu Lim Tao, que es el entrenamiento básico del Wing Chun y que puede traducirse como "la pequeña idea", se compone de tres partes. La primera es una acumulación de energía. Los movimientos de abertura, cruce hacia abajo y cruce hacia arriba, se usan para definir la línea central y no se trata de técnicas de bloqueo; esto se remonta hasta los días anteriores a la existencia de los espejos, cuando los practicantes solían clavar un palo en el jardín, ponerse frente a él, cruzar hacia abajo y hacia arriba y alinearse con el palo para definir su línea central.

Esta primera parte se ejecuta con mucha fuerza y tensión en el brazo, concentrándose en las yemas de los dedos, el pulgar, la muñeca, el codo, y el hombro, y logrando la tensión correcta. De aquí pasamos a la segunda parte, que trata del uso de la energía, concentrándola hacia el final, en los últimos quince centímetros, que es la base del Wing Chun.

Esta segunda parte del Siu Lim Tao trata del desarrollo del uso adecuado de la potencia. Para mí, la potencia es una palabra arbitraria. El Ging es la fuerza interior, una liberación de energía, Ging Lik, que atrapamos en un cierto lugar del cuerpo. Existen dos ramas principales de Kung Fu, el "duro" y el "blando". El "duro" es cuando tenemos poner rígidas las manos, y el "blando" es cuando nos relajamos. En el Wing Chun hay un refinamiento de la energía, una mezcla de las dos. La razón de que el Wing Chun sea una mezcla de las dos viene determinada por el puñetazo.

Cuando es potente, es "duro"; el uso del "blando" depende de casos diferentes. Por ejemplo, cuando yo le golpeo a usted con un puñetazo Wing Chun, antes de que el puño le alcance, éste es blando; cuando el puño hace contacto es duro, por lo que no hay que poner rígida la mano antes de alcanzar el cuerpo; una vez efectuado el contacto, el puño vuelve a ponerse blando. Cuando alcanza el cuerpo, produce una explosión de potencia en el momento del contacto, concentrando la energía sobre el puño. Una vez efectuado el contacto, las manos se relajan lo más deprisa posible. El endurecer las manos nos hace perder velocidad. Al comienzo de la segunda parte del Siu Lim Tao hay que actuar lentamente, relajarse, después endurecerse, para luego inmediatamente después relajarse. Este principio es aplicable a todas las otras formas. Esta teoría de los principios de endurecerse y de ablandarse y la adecuada liberación de la potencia se conoce como Ging Lik. Prefiero mucho más el término fuerza interior que potencia. En la segunda parte del Siu Lim Tao, el uso de la potencia de lucha dura muy poco tiempo porque es explosiva. No hay un nombre real para este movimiento.

En la última parte, la práctica de las técnicas, se utiliza la energía que hemos acumulado en la primera y que hemos aprendido a usar en la segunda. Esta parte del Siu Lim Tao no debe ejecutarse demasiado deprisa, pero tampoco demasiado despacio –tensar, relajar, tensar, relajar– todas estas técnicas nos darán la posición correcta. Esto es muy importante en las fases iniciales para que podamos concentrarnos sobre un punto y hacer que este punto siga siendo preciso. Desde el costado podemos comprender los diferentes aspectos de la distancia y apartados del compañero, la idea de que el codo debe estar a una distancia fija del cuerpo. También podemos comenzar a ver dónde está la energía cuando el puñetazo se efectúa en los últimos quince centímetros. El énfasis está una vez más en los movimientos lentos y deliberados; únicamente mediante movimientos lentos y deliberados podemos practicar seriamente.

En una descripción detallada de la primera forma, la técnica de cruce hacia abajo define la línea central, puñetazo hacia la línea central y acercarse y retroceder. Tan sau izquierdo, mano arriba, llevar la mano lentamente, primero la muñeca, con el codo siguiendo después hacia la línea central, empujar hacia fuera con regularidad y con fuerza de modo que el codo esté a una distancia de un puño del cuerpo. Huen sau hacia la posición wu sau, ir hacia atrás, relajar hacia abajo, mantener la muñeca en la posición de la línea

Huen Sau   Huen Sau

Siu Lim Tao se traduce como "el camino de la pequeña idea" o "la forma de la pequeña idea".

Es el diccionario del Wing Chun. Ahora es definitivo en lo referente a las aplicaciones, pero contiene los elementos vitales esenciales para el entrenamiento de la energía y de la posición: la base del sistema.

108 movimientos - 3 secciones.

Sección 1 - ejercicio de tensión dinámica lenta usando grupos musculares antagonistas del bíceps y el tríceps para desarrollar las energías correctas del codo.

Sección 2 - una secuencia de práctica de movimientos para relevar y explotar los movimientos, para entrenar la utilización de las energías entrenadas en la Sección 1.

Sección 3 - Posiciones y técnicas básicas con las manos utilizando las energías y la relajación de las dos primeras secciones.

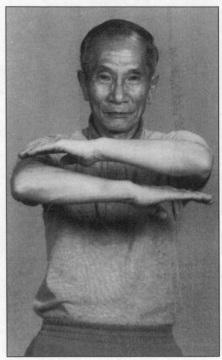

Costado de la palma bajo   *Sección 2. Doble lan sau*

central, hacia el primer fook sau, empujar hacia fuera, llevar el codo hacia
dentro, un puño de distancia del
cuerpo, huen sau hacia la posición
wu sau y regreso y relajarse. Hacia
abajo en dirección al segundo fook
sau, empujar hacia fuera, llevando el
codo hacia dentro, recordando constantemente que el codo debe estar
acercándose, regresando hacia el
wu sau, relajándose hacia abajo por
tercera vez. Aquí, la energía debe

estar en la muñeca, en las yemas de
los dedos, en el pulgar, el codo, reti-
rados hacia atrás, pak, palma de la
mano plana como en el huen sau,
cerca, repetido sobre el costado de
la mano derecha. Nuevamente, tan
sau hacia el centro, la palma plana.
La posición de la mano es importante, la altura de tan sau, la muñeca no
debe estar demasiado baja.
    Este movimiento puede hacerse
muy despacio pero con mucha fuer-

Jum sao doble (hundimiento del codo)   *Pak sau - palmada con la mano*

za, mucha tensión, acumulando potencia muscular en la muñeca, el codo, y el antebrazo. Puede hacerse también relajado durante un período de tiempo más largo, concentrándose en la idea de llevar el codo hacia el centro, centrando primero la muñeca y luego apartándola, usando el codo con un efecto como de pistón, de manera que durante todo el tiempo el codo esté detrás de la muñeca siempre que empuje hacia fuera.

Desde la vista de costado podemos ver la posición precisa más claramente; esto es muy importante, al igual que el uso de la energía en los últimos centímetros. El movimiento huen sau debe hacerse un poco más despacio, también fortaleciendo la muñeca y el antebrazo. El tan sau debe estar aproximadamente a la altura de la garganta. En el wu sau, los dedos deben estar verticales y rectos; retirarse usando el codo, em-

Bong sau (brazo ala)   *Tan sau (palma hacia arriba)*

pujando la muñeca hacia fuera y llevando el codo hacia atrás, usando
por tanto energía para empujar hacia
fuera y retroceder.

La respiración debe ser relajada y
natural durante todo el tiempo de
realización del Wing Chun, a través
de la nariz, con la lengua presionada
contra la boca. Inspirar y espirar
usando el estómago. En todo momento, al practicar, debemos ser
conscientes de nuestra postura y de
nuestra otra mano. Al hacer movimientos tan sau, huen sau, wu sau,
fook sau, y huen sau, hay que mantener la otra mano atrás, horizontal,
con el puño tirando directamente
hacia atrás y hacia arriba contra el
pecho; esto ejercita también el hombro. Nuestra postura es importante;
en nuestra postura debemos mantener siempre la posición, no debemos
botar. Ésta es posiblemente la parte
más importante del sistema Wing
Chun porque si no practicamos la
tercera parte del Siu Lim Tao nunca
desarrollaremos la energía adecuada
para ser efectivos en nuestras técnicas. La potencia en las manos se
desarrolla para usarla en golpes y
bloqueos.

La segunda parte (también muy
importante) trata del uso de la energía, de aprender como concentrarla, y de aprender a sentir los movimientos.

El ángulo preciso de cada movimiento depende de la estatura del enemigo. Si el oponente es de la misma estatura que nosotros, debemos ajustar la posición. Al practicar, debemos hacerlo también en proporción al resto del cuerpo. Debemos hacerlo plano en el caso del bong sau, con el hombro a 90 grados y luego bajar el antebrazo. Ajustar la posición para hacerla más alta.

Golpe con la palma invertida

En la tercera parte aplicamos las técnicas. Es la aplicación de la energía, con velocidad pero no demasiado deprisa y todavía con precisión. Las formas deben desarrollarse y practicarse.

Las técnicas están para desarrollarlas singularmente, para usarlas en cualquier momento y en cualquier lugar. Aquí, la posición de las manos es muy importante; siempre debemos mantener nuestra posición. Hay tres movimientos básicos de las manos: tan, bong y fook. Al ejecutar el fook sau debemos hacerlo lentamente. En el caso del bong sau el codo debe estar más alto que el hombro.

Cheung choy - puñetazos de batalla.
Puñetazos básicos en la línea central

Si el oponente es más alto debemos elevar el brazo. Las técnicas depende de la altura de los oponentes.

NOTAS ADICIONALES

Puesto que es fácil que un principiante mueva el hombro cuando debería estar manteniendo su posición, para él es de suma importancia entrenarse frente a un espejo para que pueda ver la línea media con clari-

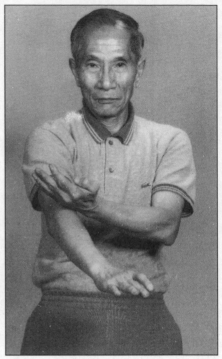

Gan sau

Gan sau - corte hacia abajo

dad. La otra razón para tener un espejo es ver si las manos están en su lugar. Necesitamos centrarnos; si no hay espejo miraremos hacia abajo y no respetaremos el principio. Necesitamos ver nuestras manos sin mover los hombros. Hay que mantener una distancia entre nosotros y el espejo para que podamos juzgar si las acciones se ejecutan adecuadamente.

Por tanto, desde el momento en que a un estudiante se le enseña,

¿debe hallar los ángulos y los puntos precisos?

En Siu Lim Tao debemos relajar todo el cuerpo, no debemos ponernos tensos, especialmente en la primera parte, porque si ponemos rígidas las manos perdemos fuerza interior. Debemos hacerlo despacio, relajarnos y mantener los codos hacia dentro. Nuestras manos pueden indicarnos si estamos rígidos; las manos están blandas si estamos relajados. Un experto en Siu Lim Tao es aquel que puede mantener los codos hacia dentro sin ponerse rígido, con los músculos todavía blandos; los codos hacia dentro, las manos relajadas. Ésta es una cuestión muy importante que los estudiantes deben dominar.

Por ejemplo, mírenme a mí, mi Tan Sau está ahora en la posición adecuada, no muevo ni el hombro ni la nariz y las yemas de los dedos están alineadas de forma precisa, pero si muevo el hombro hacia atrás pierdo la línea.

CAPÍTULO 7

CHUM KIU
(LA SEGUNDA FORMA)

Se la conoce como el brazo que busca, o la mano que busca, construyendo el puente. Solamente es en la segunda forma donde aprendemos a extendernos para encontrar a nuestro oponente; aprendemos también técnicas de dar pasos y tres patadas distintas. Aprendemos a girar, y a efectuar varios bloqueos: tok sau, jut sau, lan sau bong sau. Ciertas técnicas importantes que intervienen aquí están diseñadas para atacar las debilidades inherentes al bong sau.

Los puntos importantes son el uso correcto de la postura de giro en conjunción con el uso del bong sau y del lan sau para defenderse contra el control del bong sau. En la primera sección, la postura de giro se emplea con el lan sau siguiendo con el tok sau/jut sau, y luego la palma golpea. El movimiento de giro lan sau sirve como entrenamiento de la potencia y del posicionamiento co-

rrecto de la postura con las energías correctas del codo entrenadas en el lan sau. En la segunda sección, tenemos la primera patada, la patada frontal elevada, seguida por el juego de pies y la acción de desplazamiento del brazo para formar los movimientos bong sau y wu sau, seguidos por un giro para cubrir el costado con un jum sau, girando para mirar el wu sau de cobertura frontal y golpeando a lo largo de la línea central con el tan biu sau.

La tercera sección comienza con la segunda patada, la patada con el pie, seguida por el juego de pies con un bong sau doble bajo, seguido por el biu sau doble, doble jut sau y dobles golpes con la palma. Cada una de estas acciones se practica hacia ambos lados, es decir, comenzando tanto con la izquierda como con la derecha. Después de efectuar un empuje con el pie hacia el lado izquierdo con un ángulo de

135 grados se ejecutan técnicas gum sau de giro, acabando con puñetazos frontales básicos. El énfasis en el Chum Kiu está en conseguir las posiciones correctas para la postura de giro y efectuar esto en conjunción con las técnicas de manos tales como el bong sau to lan sau, el lan sau de giro, el bong sau dando un paso, los golpes con las palmas, etcétera. La forma Chum Kiu consiste en usar los dos brazos y las dos piernas juntos, que es un procedimiento difícil que requiere mucha práctica.

NOTAS ADICIONALES

El Siu Lim Tao es un movimiento con una sola mano; incluso en la segunda parte usamos las dos manos simétricamente por lo que sigue considerándose como una sola mano. Pero al llegar al Chum Kiu empleamos las dos manos para diferentes acciones. Además, en el Siu Lim Tao no debemos cambiar la postura,

pero para el Chum Kiu sí a fin de mirar en diferentes direcciones. El cambio de dirección es importante para el ataque y para la defensa. Por último, en el Siu Lim Tao nunca nos movemos de la posición, sino que permanecemos en el mismo lugar; pero en el Chum Kiu debemos cambiar nuestra postura.

¿Tiene el Chum Kiu diferentes secciones de la misma manera que el Siu Lim Tao?
Al igual que el Siu Lim Tao, el Chum Kiu tiene tres partes, pero mientras que cada parte del Siu Lim

Chum Kiu se traduce como "buscando el puente", es decir, un contacto puente entre dos personas.
Sección 1 Entrena el caballo (postura), la cintura y la parte superior del cuerpo para coordinarlos.
Derecha: Juen ma - postura giratoria con doble lan sau: para entrenar la postura y la cintura.

Tao tiene una finalidad distinta, no ocurre así con las partes del Chum Kiu. La parte más importante del Chum Kiu es la que se ocupa del cambio direccional y de la defensa. El núcleo del Chum Kiu se basa en la técnica y en la postura combinados juntos. Cuando damos un puñetazo, cambiando la dirección, ya nos estamos escapando del contrapuñetazo directo, pero cuando ponemos el bong sau junto con el wu sau nos estaremos autoprotegiendo

todavía más. En el bong sau no debemos ejercer ninguna presión, en lugar de esto debemos sentir el empuje del golpe valorándolo; si el golpe recibido está ejerciendo más presión, entonces podemos atacar inmediatamente.

Así, ¿tiene la técnica bong sau un principio bambú?

Más o menos. Nosotros percibimos de donde proviene la presión,

Doble biu sau - empuje con el brazo. Para cubrirse y recibir

Tok sau/jut sau

Sección 2. Biu ma con bong sau. Cubrir - dando un paso de través para recibir y cubrir

Una vez se ha establecido el contacto se gira para desviar con un jum sau

por ejemplo, desde el costado. Si el bong sau se retira repentinamente por causa del bong sau, entonces el bong sau puede cambiar inmediatamente en una acción de empuje. Por tanto, aunque el bong sau es básicamente un movimiento defen-

sivo, prepara el camino para el siguiente ataque. Pero el bong sau tiene un punto débil: para usarlo debemos cambiar nuestra postura, y girar el cuerpo de costado; no podemos permanecer con la misma firmeza que la que tendríamos en

Gira hacia el frente para recuperar el jic seen (línea central) con un jum sau

es más fuerte que nosotros y giramos hacia un lado para usar un bong sau, nos puede hacer caer con facilidad. Por tanto, si un oponente nos empuja, debemos usar una técnica para contrarrestar la debilidad de esta posición. Este movimiento es el núcleo del Chum Kiu, el elemento básico. Estos pocos momentos últimos nos defenderán contra los derribos. Usando el brazo para desviar, podemos pasar entonces con rapidez a otro movimiento. El segundo y tercer aspecto que hay que tener en cuenta es cómo avanzar, dando pasos deslizantes. Debemos practicar todos estos movimientos con pasos deslizantes. La tercera parte consiste en cómo usar un movimiento cuando está presionando nuestras manos; debemos empujar, como en el bong sau doble.

¿Es el propósito de este movimiento con el pie hacer que el cuerpo se mueva como una unidad de modo coordinado?

Sí. La técnica consiste en coordinar las dos manos y las dos piernas. Debemos ser potentes para que el ataque sea vigoroso, como en cualquier otro deporte, tal como el fútbol. Por tanto, básicamente es una unidad.

Sé que si un estudiante estudia aquí en Occidente, pregunta sobre

una posición plenamente frontal. Pero a pesar de esta debilidad, sigue siendo necesario emplear el bong sau. Debemos ser conscientes de la debilidad de la técnica, ya que cuando giramos, nuestro equilibrio no es tan firme. Si el oponente

 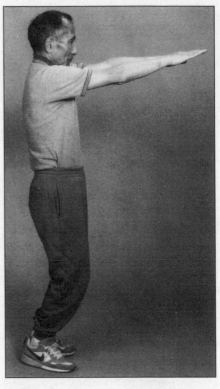

Sección 3. Biu ma y bong sau doble bajo - para desviar y cubrir

Dar un paso junto con un doble biu tze sau (golpe lanzando los dedos) hacia los ojos

la progresión: por ejemplo, ¿cuánto tiempo se entrena usted en Siu Lim Tao, cuánto en Chum Kiu? ¿Puede darnos alguna idea del tiempo?

Hay que tener un conocimiento básico de Siu Lim Tao y de Chum Kiu antes de poder utilizar el Biu Tze; no se pueden omitir los otros dos. En los viejos tiempos había un refrán que decía que el Biu Tze nunca pasaba el umbral de la puerta, significando con ello que se trataba de una "técnica de puerta cerrada". Lo cual no se puede traducir literalmente. Significa que sólo si hemos alcanzado un cierto nivel de Siu Lim Tao y de Chum Kiu se nos podrá enseñar entonces la

Girar y cubrir con gum sau (mano adelantada) - para cubrir, desviar o cuando es posible sujetar

Girar para mirar hacia el frente y recuperar el jic seen (línea central) con un puñetazo directo (yat chi kuen)

última parte, que es el Biu Tze. Y si alguien no ha aprendido Biu Tze, no puede afirmar que es un discípulo plenamente cualificado de Wing Chun.

Creo que ahora es muy frecuente que muchos maestros de Wing Chun enseñen Biu Tze antes de enseñar el muñeco y los cuchillos. ¿Por qué es diferente el maestro?

Cuando mi padre, el gran maestro Yip Man, enseñaba Wing Chun, casi nunca enseñaba Biu Tze. Estoy de acuerdo con mi padre. Si no conocemos las técnicas básicas, nunca desarrollaremos nuestra habilidad de modo progresivo.

Entrenamiento en un tejado de Hong Kong con un grupo visitante de estudiantes

CAPÍTULO 8

BIU TZE
(LA TERCERA FORMA)

Esta tercera serie de movimientos se conoce como "dedos volantes" y también como la forma de desesperación cuando precisamos recuperarnos de una extensión excesiva. Es el desarrollo de las técnicas de ataque, pasando a dedos y codos, conceptos más sofisticados de lucha. De lo que estamos tratando es del desarrollo de una energía especial. Inicialmente hay que desarro-

Biu Tze, que se traduce como forma de lanzamiento de los dedos. Conocida también como Gow Gup Sau - mano de primeros auxilios. Para pulir las energías y los golpes y recuperarse de técnicas fallidas o en las que uno se ha empleado en exceso. Si sale mal, recuperarse usando biu tze.
Sección 1:
Contiene 12 golpes con el codo.
Seis kup jarn - golpe vertical con el codo hacia abajo
Dos gwoy jarn - golpes horizontales con el codo
Cuatro Chair Pie - golpes en diagonal con el codo
Derecha: Chair Pie - golpe en diagonal con el codo y biu preparado debajo.

Biu tze (lanzamiento de los dedos) hasta el jic seen (línea central)

Cuando el ataque con un biu tze es retirado como lap sau, YC ejecuta un golpe con la mano low cheng (pala) contra la costilla flotante

llar las yemas de los dedos y la mano, y también técnicas con el codo, también Biu Tze, lanzado desde abajo para cubrir cualquier control disponible, no por encima, esto viene más tarde cuando aprendemos como usar el codo y a defendernos contra el codo. Usando el kup jarn then bui, es cuando vamos hacia arriba, se da un gran golpe si agarra-

mos el codo del oponente, se le alcanza en la cabeza. El siguiente es más bajo, es un golpe con la palma, hay que tirar mientras se toca abajo, acercamos la muñeca y golpeamos bajo. El gang sau doble es una buena técnica de cobertura, tanto alta como baja. Mun sau, then wu sau, fook sau. Si tiramos hacia fuera, la devolvemos a la línea del centro. El

Sección 2. Biu tze sau - lanzamiento de dedos

Doble gang sau: jum sau/gan sau

mun sau es una técnica más sofisticada. El biu sau es un ataque por debajo de manera que las manos estén escondidas, agarramos, inmovilizamos, damos un puñetazo bajo con gancho, y luego nos relajamos.

Hallaremos la energía en este desarrollo del Biu Tze, concentrándola en la punta de los dedos y en las manos. Debemos practicarlo centenares de veces. Observemos la posición; la muñeca permanece inmóvil. Los movimientos de la mano son difíciles de desarrollar, pero cuanto más difíciles sean más energía tendremos una vez lo hayamos dominado.

Vista de cerca, vista de costado: kup, biu, biu, cerca, observemos cómo la mano va desde la oreja, el codo está alto y bajo.

Visión de costado: Abertura tradicional, encontrar la línea central, ejercicio de acumulación de energía de Biu Tze, observar el huen sau, desarrolla el movimiento circular de la muñeca realizado con tensión, de nuevo tres kup jarn, concentrándose en un puñetazo preciso, tres hacia la izquierda, tres hacia la derecha.

LA SEGUNDA SECCIÓN – KUP JARN SENCILLO Y HACIA LA IZQUIERDA

Observar la altura del codo, tiene que ir hacia arriba para caer hacia abajo. Bajar del objetivo, kup don, si atrapamos la muñeca del oponente, golpeamos bajo en dirección descendente. Si encontramos este kup doble podemos usarlo para entrar una técnica o para defendernos, si contactamos alto entonces golpeamos bajo, si contactamos con la mano baja entonces golpeamos alto. Mun sau, pasar de nuevo al ejercicio fook sau, jun sau. Mun sau, mano interrogadora, fook sau, dan sau, retirar, Biu Tze, doble agarre, inmovilizar, desde aquí acabar el ejercicio.

NOTAS ADICIONALES

El Biu Tze se compone básicamente de técnicas de ataque. Otra explicación del Biu Tze es que es para atacar los ojos. No nos resulta fácil atacar los ojos del oponente si éste responde con rapidez. En tal caso, el Biu Tze puede usarse de forma continua con otras formas para atacar o defender. Si no conseguimos atacar con Biu Tze, si las dos manos están en contacto, todavía podemos hacer contacto con los codos. Después, si nos da un puñetazo o si recibe un puñetazo nuestro, tenemos percepción con las manos. Lo peor de todo durante la práctica del Chi Sau es que fallemos una o las dos manos del oponente. Para nosotros es peligroso el que se nos escape una o las dos manos del oponente. Es peligroso que se nos escapen las manos, porque la mano que se nos escapa es la que nos golpea. Por tanto, en el Wing Chun, el Chi Sau es muy importante, el contacto constante de las manos. Si se nos escapa una o las dos manos, entonces debemos recurrir al mun sau, para extendernos y alcanzarlas. En términos de sensación, no podremos resistir nunca si el maestro usa el mun sau (traducción literal = preguntar por tus manos). Si no extendemos las manos hacia fuera, seremos golpeados. El mun sau puede usarse para nuestro primer golpe; se usa para lograr el primer puñetazo, el primer contacto, para superar la distancia. Es parte de la forma de defensa que interviene en el Biu Tze. Recordemos que esto se usa generalmente para el contacto

Sección 3
Arriba: Mun sau/wu sau - mano que pide con mano que guarda.
Arriba a la derecha: Recuperación de la línea central con jum sau

Derecha: Si se ve forzado a retirarse de la línea central (gil sau) gira para absorber la fuerza que va hacia fuera

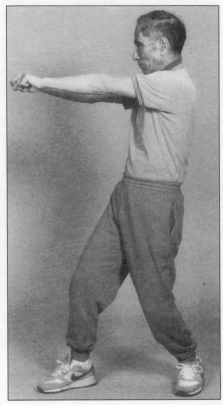

Doble agarre al frente   *Giro con doble lap sau (mano que desvía)*

con una sola mano, que es común en el Biu Tze. Por tanto, si somos buenos en el mun sau seremos buenos para hacer contacto. El mun sau es mirar y extender hacia delante las manos continuamente; estos movimientos se supone que no son Biu Tze pero intervienen en el mismo. Si damos un puñetazo, esto es un lap sau. Si nuestro oponente nos da un puñetazo y retira potencia correctamente, nunca podemos usar lap sau, pero si da un puñetazo y usa sus manos todavía podemos

Giro brusco para mirar hacia el frente con un puñetazo frontal hacia arriba arqueándose hacia dentro y hacia arriba de la línea central

usar lap sau. Recordemos tres puntos:

• Agarrar alrededor de la muñeca, controlar el codo. Si no bloqueamos su codo, nos atacará con él.

• Cuando resistamos las manos, no debemos empujar; debemos tirar con fuerza hacia abajo para que nuestro oponente se doble hacia adelante.

• Cuando sujetemos la mano, nunca debemos hacerlo con demasiada fuerza puesto que cuando empujásemos caeríamos. Si hacemos un lap sau de este modo, el oponente utilizará su codo para atacarnos. El agarre no debe ser demasiado fuerte ya que perderíamos una mano. Una vez hayamos logrado efectuar el movimiento, debemos soltarla.

Éstos son los principales movimientos del Biu Tze. Hay un refrán en las escrituras budistas que dice que si practicamos el Biu Tze podemos ver la luna; pero que nunca podremos alcanzar la luna practicando el Biu Tze.

¿Facilitará esto alguna orientación al estudiante, este punto relativo a alcanzar la luna?

Si usted me pregunta donde está la luna, se la señalaré; si es usted inteligente mirará hacia donde apunta mi dedo, pero un tonto creería que mi dedo es la luna. Dicho de otro modo, la luna es igual a la verdad, por tanto si usted me pregunta por la verdad se la mostraré; pero el dedo no es la verdad. Por tanto, en el caso de cada forma, al igual que el dedo,

Aplicaciones de Biu Tze.
Doble lap sau (manos que desvían).
El puñetazo del oponente es desviado por
YC que gira con un doble lap sau (obsérvese
el control de la muñeca y del codo)

YC continúa con una patada frontal...

... que golpea la articulación de la cadera
destruyendo el equilibrio de su oponent

YC usa el impulso (energía cinética)
obtenido poniendo su pie sobre el suelo
para alimentar un puñetazo hacia las
costillas (al tiempo que cubre el codo de su
oponente con su mano izquierda)

YC desvía el golpe de su oponente con un giro y un doble lap sau

...deslizando un kup jarn (codo vertical) por encima del golpe...

Usando su mano izquierda para controlar el brazo de su oponente por el codo, YC comienza a moverse hacia dentro y reduce la distancia...

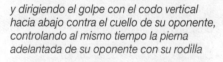

y dirigiendo el golpe con el codo vertical hacia abajo contra el cuello de su oponente, controlando al mismo tiempo la pierna adelantada de su oponente con su rodilla

YC recibe el golpe girando para evitarlo y desviarlo con un doble lap sau

Derecha: El doble lap sau control.

YC retrocede hacia la línea central con un puñetazo ascendente desde abajo en dirección a la costilla flotante

YC se recupera de un bong sau en el que había entrado demasiado lanzando un biu tze por encima de la línea central desde abajo del bong sau

...y empujando hacia los ojos de su oponente para disuadirle de dar otro paso hacia delante.

ésta se puede emplear para el ataque y la defensa simultáneamente. El bong sau no sirve solamente para bloquear un puñetazo, se puede emplear también para el ataque.

Permita que me explique. Hay doce golpes descendentes (no horizontales) en los que se emplean los codos en el Biu Tze, doce kup jarn. En muchas artes marciales los golpes son horizontales, pero en el Biu Tze son descendentes; son para ataques a corta distancia, si el oponente se halla tan próximo que no le podemos lanzar un puñetazo; en ocasiones sólo podemos emplear los codos para golpear. Si lo podemos hacer apropiadamente, estos golpes son lo bastante fuertes.

Pero si estrellamos continuamente nuestro codo contra un saco, ¿no podemos lesionarnos?

No si es tan sólo un golpe vacío.

¿Podemos lesionarnos el cuerpo o el cuello al practicar?

Nunca se deben practicar los golpes con el codo contra un saco de arena, nunca, porque la sacudida del golpe del codo contra un objeto sólido puede producir daños a la columna vertebral.

¿Por qué no?

Porque puede producir daños graves a la columna vertebral. Al dar un puñetazo, el codo absorbe el impacto y, además, no es fácil que podamos utilizar toda nuestra fuerza. Pero en el caso de un golpe con el codo se emplea la potencia de todo el cuerpo. Incluso un principiante puede sufrir daños usando este golpe, ya que el cuerpo es blando, y el impacto no se absorbe tal como sucede en los puñetazos.

CAPÍTULO 9

PREGUNTAS Y RESPUESTAS: YIP CHUN DIALOGANDO CON SUS ESTUDIANTES

Muchos maestros hablan sobre secretos pero usted parece enseñar todo lo que los estudiantes pueden aprender. Muchos maestros prefieren no hacerlo; ¿qué piensa usted de esto?

Yo digo que el Wing Chun no hay que enseñarlo así. Por ejemplo, es posible introducirlo todo en un año: Siu Lim Tao,Chum Kiu, Biu Tze, muñeco de madera, Baat Cham Dao (cuchillos mariposa), Wing Chun Long Pole y Chi Sau, y dejar que los estudiantes mejoren y mejoren. Es como una caja de caudales llena de dinero; necesitamos la llave, pero sólo se consigue la llave mediante el Chi Sau, e incluso entonces todavía nos queda un largo camino por recorrer. Puede que tengamos la teoría pero necesitamos entrenamiento y practicar con otras personas. Con el aprendizaje de formas no se ha llegado al final del proceso, hay que practicar. En el Wing Chun resulta de la máxima importancia el modo de sentir cada movimiento y cada forma haciéndolas más fluidos mediante la creación de un flujo uniforme de acciones. Por lo que respecta a los maestros que no enseñan todas las técnicas a los estudiantes, puede que sea porque no tienen mucho más que enseñar y prefieren reservarse cosas. Muchos de ellos se han entrenado únicamente durante un corto tiempo y luego se erigen ellos mismos en maestros. Si un maestro sabe mucho de Wing Chun, no esconderá nada. El desarrollo de la técnica es ilimitado.

¿Cómo ve usted el efecto del entrenamiento sobre los estudiantes? ¿Qué cambios se producen? ¿Se sienten los estudiantes más seguros, les afecta el Wing Chun psicológicamente?

La respuesta debe venir de los propios estudiantes. Pero muchos me han dicho que ha aumentado su confianza porque ahora saben que pueden defenderse y atacar a voluntad.

Después de que a los estudiantes se les ha enseñado, y de que han practicado Chi Sau, ¿qué es lo que les impide llegar a un nivel más alto? ¿En qué punto se detienen?

No emplean la fuerza correctamente. En otras formas de Kung Fu o en el Karate y otras artes marciales, tendemos a usar la fuerza durante todo el tiempo lo cual limita nuestro desarrollo del control. En Wing Chun el saber cuál es el momento correcto en que hay que emplear la fuerza tiene una importancia crítica. Lo más difícil es liberar la presión inmediatamente después de haberla ejercido. Es fácil de olvidar y esto nos impide avanzar y pasar a otro nivel.

¿Cree usted que esto se debe a que nuestra sociedad está influida por la fuerza, el tamaño y la potencia, y a que psicológicamente no podemos aceptar que la técnica pueda vencer a la fuerza bruta?

Creo que no tiene nada que ver con nuestra sociedad, lo que sucede es que a la gente le resulta difícil unir los dos conceptos opuestos, los del empleo de la fuerza y relajarse al mismo tiempo. Para dominar plenamente esta técnica se necesita mucho tiempo.

Creo que el hecho de que el Wing Chun cambie o no el carácter de una persona tiene mucho que ver con el comportamiento cotidiano del maestro, su personalidad. Normalmente, la práctica de todas las formas de Wing Chun requiere al menos tres años y durante este tiempo se aprende mucho sobre la personalidad del maestro; no guarda ninguna relación con el Wing Chun en sí mismo. Este problema no se limita al Wing Chun, sino que es común a todas las formas de Kung Fu, debido al proceso de enseñanza. Si un maestro nos induce a luchar con gente para probarnos, se trataría de una forma de lavado de cerebro, lo cual es peligroso. El maestro quiere indicar la diferencia que hay entre el modo en que él resolvería una disputa entre discípulos y el modo en que un exponente de otra forma de Kung Fu la resolvería.

En muchas formas de Kung Fu, la relación entre el maestro y los estudiantes tiene una barrera en medio. Algunos maestros hacen que los estudiantes lleven un tipo de uniforme, algunos incluso les hacen observar rituales; intentan ser supremos. Lo que el gran maestro Yip Man hizo fue tratar a los estudiantes como a iguales, y después del entrenamiento él y sus estudiantes eran amigos. Algunas personas opinan que debe existir una barrera. Hasta el gran maestro Yip Man fue criticado por ser demasiado amistoso.

Yo afirmo que no debe haber barreras, la información debe fluir. Los maestros de Wing Chun debe ser amistosos con sus estudiantes, no hay ceremonias. No estamos buscando esclavos. Un estudiante respetará a un maestro si puede aprender lo que quiere, no simplemente porque el maestro pida respeto.

¿Cree usted que los estudiantes de hoy día estudian con la misma intensidad que en el pasado?

Actualmente son perezosos, piensan que nuestra forma es demasiado blanda; ellos quieren Karate y patadas, quieren hacerlo como Lee Jun Fan (Bruce Lee).

¿Hay mucha gente todavía en Fatshan que estudie Wing Chun?

El año pasado tenían una clase de estudiantes pero no se lo que ha ocurrido este año.

¿A cuánto se remonta en el pasado el Wing Chun en Fatshan? ¿Cuántas generaciones antes de la suya se empezó a practicar?

Hace mucho tiempo y es difícil saber cuántas generaciones han practicado. Hacia el final de la dinastía Sung hubo un sabio muy famoso, Wong Yung Min. Era un experto e instruido en Confucio. Dio un empuje positivo a Confucio y fue

un sucesor famoso. Una de las teorías que ofreció era: "A fin de lograr algo hay dos cosas que intervienen: la teoría y la práctica".

La teoría es el conocimiento y la práctica significa acción, no significa mezclar los dos puntos. El conocimiento es un concepto, como los principios de los puñetazos del Wing Chun, y la práctica es la acción, una vez se han dominado las teorías. Pero hay que llevar la teoría a la práctica, o de lo contrario la primera es inútil. Hay que hacer uso de lo que se ha aprendido. Esto no significa que haya que practicar inmediatamente después de haber obtenido el conocimiento, pero una vez se ha aprendido algo y se tiene el conocimiento, tiene que probarlo uno mismo. Durante la práctica se puede descubrir si existe una teoría mucho mejor. Debe haber más teorías obtenidas durante el entrenamiento. Es la acumulación del conocimiento, como una bola de nieve; existe el conocimiento, luego la acción, después el conocimiento, después la acción, etcétera, hasta que se mejora y mejora nuestro futuro. Sin la práctica, el conocimiento es inservible; después de la práctica hay que buscar más conocimiento para desarrollar el arte.

¿Cómo se relaciona el Wing Chun con la naturaleza?

La gente que practica el Wing Chun debe respetar la naturaleza.

Por ejemplo, en nuestra postura, la distancia entre los interiores de los tobillos depende de nuestra estatura. Si nos torcemos y nos inclinamos hacia adelante, estaremos cometiendo un error; el cuerpo debe estar equilibrado como en la naturaleza, de acuerdo con nuestra estatura, no por doctrinas o principios. La separación entre la parte interior de los tobillos debe ser igual a la anchura de los hombros.

Esto guarda relación con un principio de mayor alcance. Una de las teorías más importantes de Confucio es el Chung Yung. Chung significa la línea media o línea central, y Yung quiere decir armonía. El significado de la armonía es no excederse, ser moderado. Los chinos estaban fuertemente influidos por estas teorías.

Por ejemplo, tomemos a un directivo de una compañía. Debe tener principios para lograr cualquier cosa; esto puede explicarse como Chung. Si este directivo lo hace todo ciñéndose a los principios y a las normas, no se le puede despedir: puede tener éxito, pero creará malestar dentro de la compañía y todo se enturbiará. Debe ser flexible y así creará armonía (Yung). Por tanto, todo debe basarse en las normas pero sin dejar de ser flexible, pero sin alejarse demasiado de los principios. Hay que aprender a dominar el equilibrio entre los principios y la flexibili-

dad. Si podemos dominar este punto, esto es lo que podemos obtener de este libro, Chung Yung.

A fin de dominar el camino de la línea central, la forma moderada de manejar las cosas, hay que entrenarse mucho. Las teorías del Chung Yung son como el Chi Sau en el Wing Chun. Cuando mis estudiantes estudien primero el Siu Lim Tao diré: prestad mucha atención a la línea del centro. Les diré que se entrenen con un espejo. En el caso de una verdadera lucha, la línea central significa precisión; se debe lograr un fuerte control de la línea del centro primero. La línea central es imprescindible pero no es suficiente. Al luchar, atacando o defendiéndose, el quedarse estrictamente en la línea central sin cambiar es erróneo. A veces hay que moverse un poco hacia la izquierda o hacia la derecha. Hay que hacer ajustes constantes.

¿Cómo aplica usted este principio?

En la teoría del Chung Yung solamente la experiencia nos enseñará y ésta sólo se puede obtener mediante el Chi Sau. Es por esto que hay que mantener la línea central durante el Chi Sau. Por lo que se refiere a lo mucho o poco que podemos movernos, también sólo la experiencia que alcancemos con el Chi Sau nos lo dirá. Otro principio del Chung Yung consiste en hacer algo a fin de con-

Práctica con el muñeco de madera

seguirlo y entonces detenerse; esto es suficiente, nunca hay que insistir demasiado. Hay que llegar hasta el punto, pero sin excederse.

¿Son los excesos tan peligrosos como la pérdida de la línea del centro?

Sí. Demasiado es peor que demasiado poco. Si hay demasiada atención hacia la línea central entonces esto está mal; ir demasiado lejos es peor. El primer punto es entender la línea del centro, el segundo punto es la liberación de la energía, no hacerlo excesivamente, esto es lo que significa Yung. En términos de Wing Chun prestamos mucha atención a esto. Ello muestra dos aspectos del Chi Sau, cómo usar correctamente la potencia y que una presión excesiva es un despilfarro de energía.

¿La línea del centro es horizontal o vertical?

Debe ser vertical. A fin de mantener una postura adecuada debemos ajustarla dependiendo de la situación, puesto que si mantenemos una postura rígida no será suficientemente buena, nos cansaremos. Podemos cambiar nuestra postura sin perder la línea del centro. Recordemos a Bruce Lee, estaba saltando siempre dando vueltas pero ello no significa que perdiese la línea del centro. En la mente de Bruce Lee

había una postura que era flexible. Cuando daba un golpe, siempre parecía dar el golpe desde una posición equilibrada a pesar de los espectaculares movimientos. Cuando saltaba no había postura, pero cuando daba un puñetazo sí.

En todas las clases de técnicas de Wing Chun, pak sau y lap sau, por ejemplo, si el maestro da un puñetazo fuera de la línea, el codo del oponente bloqueará el puñetazo por lo que le maestro debe usar pak sau. El propósito del pak sau es poner el puñetazo en línea.

En el caso del lap sau, mientras pueda dar un puñetazo, es suficiente. Una vez se logra esto, es suficiente, no hay necesidad de agarrar las manos después de dar un puñetazo; si el oponente nos empuja, caeremos. Estas técnicas de lucha provienen de la teoría del Chung Yung.

Cuando usted practica con sus estudiantes no parece que se mueva con rapidez para responder, pero siempre que se requiere una técnica allí está. Esto me resulta difícil de comprender, este nivel de habilidad, moverse justo lo suficiente. ¿Puede explicarme cómo aplica usted estos principios?

La cuestión no es ser rápido. He hecho Chi Sau muchas veces y doy puñetazos a diferentes velocidades dependiendo de la situación. Por tanto, lo importante no es ser rápido; la cuestión es cómo hacerlo. La velocidad depende de las condiciones. Si dos oponentes son rápidos, el que ganará es el más rápido, pero seguirán estudiando cómo atacar de nuevo, por tanto, en el Chi Sau, al igual que en la lucha real, debe haber un ritmo.

Por tanto, ¿usted es capaz de responder con tanta rapidez porque puede leer la energía de la otra persona? ¿Es ésta una técnica particular?

Sí, puedo sentir la potencia del oponente y esto sólo puede lograrse percibiéndolo.

¿A partir de qué elemento del sistema de Wing Chun cree usted que se desarrollaron todas las técnicas? ¿Del Chi Sau?, ¿o fue el muñeco de madera el punto de arranque?

Esto es muy importante; es sobre las técnicas. El propósito de practicar con un hombre de madera es el entrenarse en técnicas. El muñeco de madera es como un hombre muerto, tan sólo para entrenamientos básicos en Siu Lim Tao, Chum Kiu y Biu Tze. Pero para el Chi Sau tenemos un hombre real, un oponente real con el que practicar. La cuestión del entrenamiento con un muñeco de madera es que su distancia de nosotros es fija, lo cual nos ayuda a aprender la distancia de lucha correcta entre nosotros y nuestro enemigo. Pero cuando luchamos contra un oponente real nuestras reacciones se entrenan; la práctica con un oponente real es el mejor modo de mejorar.

¿Me dijeron que el muñeco es para practicar el Ging (energía) para las técnicas?

No, entrenarse con el muñeco no significa entrenarse con fuerza interior. Hay tres cosas que nunca se pueden entrenar con el muñeco de madera: la percepción, las reacciones y las técnicas básicas del contacto real con un oponente. Un hombre vivo puede contraatacar. Tanto el muñeco como los oponentes reales son para entrenar nuestra habilidad, y ambos tienen propósitos diferentes. Ésta es mi opinión personal. Desde el mismo comienzo hay que entrenarse con el muñeco y luego pasar al Chi Sau.

¿Existe una tendencia Taoísta o Budista dentro del Wing Chun?

Hay algo de lo que sí estamos seguros: el desarrollo del Wing Chun está relacionado de alguna manera con la cultura y la filosofía chinas. Puede haber estado influido también hasta cierto punto por la filosofía budista o taoísta. Pero creo que el Wing Chun es muy práctico y no quiero hacerlo demasiado metafísico o abstracto.

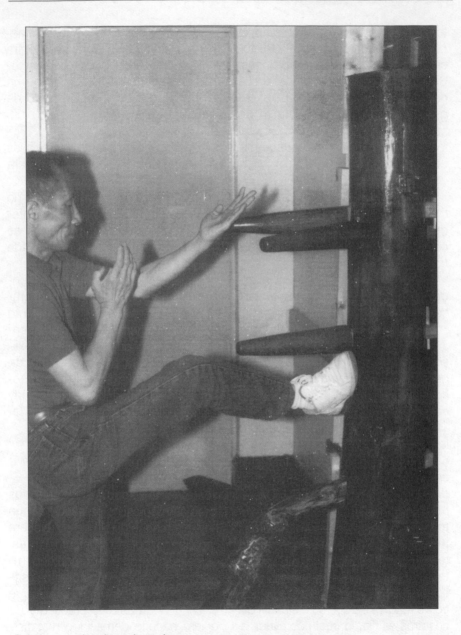

Práctica con el muñeco de madera

Cuando le observo, no parece que se quede usted con ninguna técnica demasiado tiempo y su punto más fuerte parece ser que usted está inmediatamente listo para hacer un cambio con mayor rapidez que ninguna otra persona, porque no es usted excesivamente adicto a ningún movimiento exitoso. ¿Puede explicarlo?

Durante la realización de entrenamientos con Wing Chun hay un cierto número de posibilidades a las que podemos estar sujetos, en caso de que seamos atacados, y debemos tener presente qué clase de reacción tendrá nuestro oponente.

Cuando nos defendemos, debemos hacerlo por reacción, pero al hacer algún tipo de movimiento por reacción, hay que tener presente qué hará el oponente la próxima vez. Esta reacción es objetiva; hay que pensar en los otros pasos, la reacción de nuestro oponente.

¿Quiere decir usted que puede estimar cuáles van a ser probablemente las próximas técnicas de su oponente?

Sí, exactamente como al jugar al ajedrez, la anticipación es muy importante en todo el sistema del Chi Sau. Podemos decir que no hay diferencia en las primeras fases, pero tarde o temprano hay cambios. Hemos de pensar antes de actuar. Si no sabemos nada de ajedrez, no hay

modo de que podamos competir con un experto; lo controlará todo. El Chi Sau es como jugar a ajedrez.

¿Son los movimientos del Siu Lim Tao exactamente los mismos que los que usamos en el Chi Sau?

El Siu Lim Tao tiene muchos aspectos técnicos. Para explicar cómo funciona, tomemos el ejemplo del tan sau. Implica una larga serie de cambios; no hay norma o modo fijo de explicar cómo funciona el sau works. El tan sau se usa para bloquear el primer puñetazo; lo cual significa que es para la defensa, pero al mismo tiempo este bloqueo puede ser un modo de ataque. El bong sau puede usarse también en el ataque y no sólo para la defensa.

Por tanto, el bong sau no se usa sólo para bloquear, como creen algunas personas; ¿tiene también otros elementos?

Sí. Hay tres movimientos principales de las manos, se trata de las tres formas más importantes, y permiten cambiar la defensa en ataque.

¿Por qué, aunque los estudiantes tratan de hacer lo que les dice usted, no pueden aproximarse a su nivel de técnica, que parece estar más allá de su alcance? ¿Qué impide a otras personas alcanzar este nivel?

El problema que tienen la mayoría de estudiantes es que sólo prestan atención a una técnica y su uso tanto en el ataque como en la defensa; solamente se acuerdan de un modo de acción. Es importante prestar atención a todo el sistema de Chi Sau. Al luchar con el muñeco no hay reacción, por lo que no se puede practicar cómo hacer frente a la reacción de un oponente, no se puede imaginar, por ejemplo. En el Wing Chun, para nosotros es muy importante y al mismo tiempo tener presente que nuestro enemigo está vivo, no muerto; siempre puede reaccionar. Existen miles de modos de reaccionar. Por lo que es muy importante que estudiemos todo el sistema de Chi Sau, no sólo uno o dos movimientos.

De lo contrario, ¿nos volvemos inflexibles e incapaces de adaptarnos?
Esto es lo que estoy poniendo de relieve. Al dar un puñetazo, hay que recordar que el oponente vive, que puede reaccionar y devolvernos el puñetazo, con lo que el modo en que reaccionemos ante esto tiene una importancia crucial.

¿Cuál es el programa de entrenamiento recomendado para alguien que quiere practicar Chi Sau y Siu Lim Tao. ¿Cómo cree usted que debemos introducir el Siu Lim Tao dentro de la práctica, de la frecuencia, personales, etcétera?
Históricamente se determinó que el Siu Lim Tao debe practicarse

durante tres años antes de la progresión. El Siu Lim Tao es la primera forma de Wing Chun, la forma básica. Podemos pulir nuestras técnicas fundamentales mediante el Siu Lim Tao. En el Siu Lim Tao hay tres partes principales. La fuerza interior es una (esto no significa potencia). Por ejemplo, si usted me golpea con el codo, y yo quiero golpearle a usted, si usted tiene la fuerza interior yo no lo puedo lograr de este modo. Usted puede intentarlo. La fuerza interior no es potencia. Ésta es fija, por lo que no podemos moverla. Ésta es la razón por la que debemos practicar el Siu Lim Tao para entrenar la fuerza interior y mantener la posición correcta para bloquear los puñetazos.

En el boxeo occidental dicen que hay que mantener los codos hacia dentro, por tanto, ¿hay algún paralelismo?
Puede que haya un principio similar. Tanto el boxeo como el Kung Fu chino tienen una historia. Durante la práctica del Chi Sau yo le aconsejo que mantenga los codos hacia dentro.

Un famoso boxeador (Jack Dempsey) dijo que la energía corre por debajo del fondo del brazo; ¿es esto similar?
Sí, esto es correcto. Esta teoría es similar al Wing Chun. La segunda

parte del Siu Lim Tao es para el entrenamiento del uso adecuado de la potencia y de la fuerza interior.

Yo aconsejo que los estudiantes comiencen a practicar el Chi Sau después de haber aprendido el Siu Lim Tao. La razón es que ello les mantiene interesados. Si los estudiantes sólo practican la forma perderán el interés, pero sí la práctica del Chi Sau se hace después, el estudiante comprenderá porque ha estado haciendo los ejercicios. Prefiero acabar enseñando Siu Lim Tao primero. A fin de progresar adecuadamente, cuando practicamos la primera parte del Siu Lim Tao, se debe hacer despacio, tan despacio como sea posible, concentrándose en el mantenimiento del codo hacia dentro y en el desarrollo de la fuerza interior.

Si el individuo quiere tomarse mucho tiempo, ¿es esto correcto?

Sí, cuanto más tiempo mejor. Debe tenerse presente que no es correcto decir: "Muy bien, he hecho esto miles de veces, soy un experto". Lo más importante es nuestra actitud. ¿Somos lo bastante lentos en acción? ¿Mantenemos siempre los codos hacia dentro? Aquel que pueda practicar el Siu Lim Tao tan lentamente como sea posible conseguirá más y tendrá fuerza interior. No hay que impacientarse, no hay que correr.

En Occidente, la gente quiere aprender y pasar a la fase siguiente con demasiada rapidez, ¿está usted de acuerdo?

Sí. Si alguien es muy malo en Siu Lim Tao e intenta aprender con demasiada rapidez, su fuerza interior no será buena, por tanto, tendrá que depender de sus técnicas, pero puede ser que no sean buenas. Hemos de ser objetivos. El que desarrolla fuerza interior puede ser objetivo.

Desde luego, podemos usar las técnicas y arreglárnoslas con ellas pero hemos de ser objetivos, e incluso a medida que mejoramos debemos continuar siendo objetivos. Por tanto, las habilidades o técnicas y la fuerza interior son dos cosas distintas. Debemos dominar las dos.

Durante la segunda y la tercera parte cada movimiento se ejecuta adecuadamente. En la práctica del tan sau podemos ser lentos, pero en la lucha real no se puede usar el tan sau con tanta lentitud. Y mantener una postura adecuada. Para un principiante hay un movimiento natural de los hombros, pero solamente se deben mover las manos, no los hombros.

Por tanto, ¿tambalearse significa perder energía?

No, se debe a un mal posicionamiento.

¿Puede usted hablarnos del gran maestro Yip Mann y de su entrenamiento?

El gran maestro Yip Man comenzó el entrenamiento de Kung Fu en la provincia de Fatshan a la edad de siete años y continuó hasta los 13 años. Su maestro, Chan Wah Soon, falleció cuando Yip Man tenía trece años, y poco antes de morir dijo a uno de sus estudiantes más veteranos, Ng Chung So, asumir la responsabilidad de cuidar de Yip Man a fin de convertirlo en un gran maestro. Yip Man siguió a Ng Chung So durante dos años para proseguir sus estudios de Wing Chun. A los quince años de edad, Yip Man y un compañero de clase, Un Ki Sen, fueron a Hong Kong para estudiar en el instituto St. Stephen, y allí por coincidencia se encontraron con Leung Bik, el hijo de Leung Jan. Yip Man estudió Wing Chun con el maestro Leung Bik durante tres años. Ésta es a grandes rasgos la historia de su entrenamiento, y según el gran maestro Yip Man lo que realmente aprendió sobre el Wing Chun lo hizo durante su estancia en Hong Kong. Hay dos razones para ello:

1) El gran maestro Yip Man dice que hay alguna teoría en Wing Chun que parece ser intocable y que durante su juventud no fue capaz de entender.
2) Su primer maestro, el Maestro Chan Wah Soon, no era una persona muy educada, y es preferible tener una buena educación a fin de estudiar las artes y comprenderlas mejor. Por lo que respecta a la teoría del Wing Chun, el maestro Chan Wah Soon no sabía mucho sobre esto, por lo que francamente el gran maestro Yip Man no recibió de él muchos conocimientos sobre las artes. Cuando estudió Wing Chun con Leung Bik, Yip Man era mucho mayor y Leung Bik tenía mucha experiencia y un mejor entendimiento del Wing Chun.

Por tanto, el gran maestro Yip Man recibió el verdadero conocimiento del Wing Chun cuando era un adulto.

¿Qué nos puede decir de su modo de enseñar Wing Chun?

Era una persona muy tradicional, ya que estudió muchos libros sobre historia y cultura chinas. Era más bien conservador en su personalidad. No pretendió enseñar Kung Fu porque dijo que la enseñanza del Kung Fu significaba enseñar a la gente a luchar, lo cual hubiese dado mala suerte de acuerdo con la teoría budista (la causa y los resultados). En consecuencia, aun cuando el gran maestro Yip Man era diestro en Wing Chun Kung Fu y que mucha gente le pedía que lo enseñase, él seguía rechazándolo. Pero, de hecho, durante dos períodos el gran maestro Yip Man sufrió mucho y, por tanto, se vio forzado a enseñar Kung Fu.

El primer período fue cuando los japoneses atacaron China en la Segunda Guerra Mundial. En aquel tiempo estaba enseñando a varios estudiantes en Fatshan en China (todavía hay uno o dos estudiantes que siguen enseñando Wing Chun en Fatshan).

Durante el segundo período trabajó para el gobierno nacional de Chang Kai Shek como oficial de rango bastante alto. Después de la conquista del poder por los comunistas se vio forzado a ir a Hong Kong a fin de ganarse la vida y allí tuvo que enseñar Kung Fu. El gran maestro Yip Man no pudo imaginar que su enseñanza fuese a influir en el desarrollo futuro del Wing Chun en todo el mundo. Otro aspecto de conservadurismo era su rechazo a enseñar Wing Chun a extranjeros; por lo tanto, si hay occidentales que afirman ser sus discípulos, están mintiendo. El gran maestro Yip Man dijo que el Wing Chun era un tesoro de China que debe respetarse.

¿Enseñó alguna vez a las mujeres?

Sí, muy al principio enseñó a algunas, pero no muchas. Hay más hombres que practican Kung Fu que mujeres.

Por tanto, ¿enseñó él del mismo modo que lo está haciendo usted ahora; por ejemplo, enseñando las técnicas rápidamente y practicando entonces el Chi Sau con los estudiantes?

Éste es un punto muy importante. Yo aprecio más la enseñanza del Kung Fu que el conocimiento de su Wing Chun. Justo antes de enseñar, el gran maestro Yip Man tendía a tener una charla con cada estudiante para tratar de entender su educación, su trabajo, su programa de estudios, su personalidad, etc., antes de empezar a enseñarle. Tomaba nota especialmente del tamaño del cuerpo del estudiante, de su estatura, etc. En consecuencia, todos los estudiantes del gran maestro Yip Man alcanzaban grandes logros. Yip Man también tendía a mejorar su modo de enseñar gradualmente, y en este aspecto no era especialmente conservador.

Así pues, ¿lo desarrolló partiendo de la forma inicial para hacerlo más científico?

Sí, por ejemplo, el Siu Lim Tao o las técnicas con el muñeco de madera. Sus primeros estudiantes aprendieron de este tipo de técnicas. El gran maestro estaba haciendo progresos. Yip Man puso de relieve que tenemos que aprender de la experiencia para mejorar el arte y ampliar nuestro conocimiento. Debe haber un desarrollo constante.

En aquellos días cuando el gran maestro Yip Man estaba enseñando en Hong Kong, ¿le era difícil establecerse a fin de poder enseñar? ¿Había problemas con otras escuelas de Kung Fu?

Comenzó su enseñanza en el restaurante chino Markets Unions, y no halló ningún problema. Nadie buscó problemas porque él era famoso, muy famoso, en el sudeste de China; por tanto, cuando comenzó a enseñar mucha gente sabía quién era.

¿Cómo sabía la gente que era famoso?

Porque desde su llegada a Hong Kong a la edad de quince años, era famoso en Kung Fu, luchando con otros instructores de Kung Fu.

En la cultura china hablan sobre las excelencias que se deben alcanzar; ¿cuáles son?

Cuatro de los libros más famosos pertenecen a la escuela de Confucio: *Chung Yung, Gran aprendizaje, Man Chi* y *Lung Yu*. Existen otros seis (haciendo un total de diez). *Poesía, Estudio del Yik, Estudio de la cordialidad china, Estudio de la filosofía china, Estudio de la música, Estudio de Chun Chow* (dinastía de Confucio).

El *Gran aprendizaje* pide a la gente que busque el conocimiento; el *Luny Yu* es teórico, enseñando a la gente cómo tener éxito, prestando también atención a la moralidad china. El *Chung Yung* es filosofía china típica. El *Man Chi* era para los estudiantes de Confucio y evaluaba sus teorías. El libro de Chow trata sobre la dinastía Chow justo antes del período de Confucio. El *Estudio del Yik* trata de las filosofías chinas y de la parte física. El libro de poesía trata de la cordialidad y la moralidad china.

El atractivo del Wing Chun para mucha genta parece estar en que induce a la gente a mejorar su educación, ya que no se apoya en la fuerza bruta. En sus viajes, ¿cree usted que los estudiantes de Wing Chun tienen una mejor educación?

Voy a Europa principalmente por los seminarios, y he encontrado a muchos seguidores del Wing Chun. Debido a la barrera de la lengua no sé nada sobre su historial educativo. Naturalmente, la mayoría de las cuestiones presentadas por los estudiantes en seminarios son sobre el Kung Fu chino y es posible conocer un poco del pasado de los estudiantes a partir de sus preguntas, pero lo que preguntan trata principalmente del aspecto técnico del Wing Chun. Trevor fue la persona más instruida que he encontrado durante estos viajes. Esto fue en Newcastle.

¿Cree usted que otros estilos de Kung Fu están diseñados para el espectáculo más que para la eficiencia? Mientras que el Wing Chun es pura eficiencia, no hay técnicas para hacerlo más atractivo. Si consideramos que el Wing Chun es parte de un grupo general, cuando muchos otros grupos tienen diferentes técnicas, ¿es el Wing Chun el puente entre el espectáculo y la eficiencia?

El Wing Chun no está diseñado para el espectáculo. Debemos contemplar al Kung Fu cuando evolucionó en una edad primitiva, cuando tenía que luchar para vivir, luchar contra la bestia así como contra los humanos. Desde entonces el Kung Fu se ha desarrollado en dos líneas paralelas. Uno de los modos es con finalidades de espectáculo, acompañado por música, para bailar así como para representaciones en el escenario, acompañadas por palmadas; el segundo modo tiene como finalidad la eficiencia, con la defensa y la lucha como propósitos principales. Si queremos alcanzar la eficiencia, no debemos preocuparnos por tener buen aspecto; el objetivo es vencer al oponente de la forma más rápida, que no será bonita. No está ideada para ser observada por una audiencia. Muchas veces el Kung Fu usado con propósitos de espectáculo no es eficiente. Los dos sistemas de Kung Fu tienen seguidores, por lo que se han desarrollado dos

caminos a lo largo de los años. Hablando francamente, el Wing Chun no tiene como finalidad el espectáculo, sino la eficiencia. Quienes ejecutan el Kung Fu por espectáculo niegan que no sea eficiente, pero incluso si andamos cada mañana lograremos tener un cuerpo sano. Algunas veces estudiantes de otros estilos de Kung Fu ponen la excusa de conseguir un cuerpo sano ante el hecho de que al principio se les enseñan técnicas de defensa a menos que estén en buena forma. Cuando practiquemos Chi Sau u otros estilos, debemos olvidarlo todo y dejar reposar el cerebro en posición de calma. Entonces seremos capaces de triunfar. A los estudiantes que han practicado Wing Chun durante mucho tiempo, no es preciso recordarles que no deben luchar con la gente, puesto que son conscientes de que tienen la capacidad y de que, por tanto, deben controlar su temperamento e intentar no tener disputas con otros; ésta es la moral del Kung Fu a la que debe adherirse la gente.

Así pues, ¿deben comprender la responsabilidad que tienen puesto que poseen las técnicas?

Quienes han aprendido Kung Fu durante tan sólo unos pocos meses pueden intentar luchar con otros; pero cuanto más tiempo lleven aprendiendo mejor será su temperamento. Respecto a quienes han aprendido Wing Chun durante largo tiempo, todos tienen cuerpos sanos, pero al mismo tiempo han adquirido técnicas prácticas de autodefensa.

En comparación con otras ramas de Kung Fu, Karate, etc., ¿atrae el Wing Chun más gente madura?

La gente mayor puede hacerlo. Yo practiqué Siu Lim Tao por primera vez a los siete años de edad aproximadamente, y el Wing Chun a los treinta y siete. Mi estudiante más viejo tiene 51 años.

¿Hay confusión sobre las formas modificadas y las tradicionales?

Nunca he oído hablar de nada llamado Wing Chun modificado. Pero el Wing Chun se está haciendo popular internacionalmente, y mucha gente enseña formas falsas del Wing Chun real; hay tantas marcas como casas de perfumes o de modas. Existen muchas ramas con muchos nombres diferentes debido a su popularidad. Hay que tener cuidado con las imitaciones.

Así pues, si un estudiante occidental quiere aprender Wing Chun y no sabe cómo reconocer a un buen profesor, ¿qué consejo le puede dar el maestro?

Se trata de un problema importante, pero hay un modo de comprobar si nuestro profesor es un verdadero maestro de Wing Chun. Si el

maestro está dispuesto a ser atacado por el estudiante durante la práctica del Chi Sau, es que se trata de un verdadero maestro de Wing Chun. Si devuelve los puñetazos, entonces es que no es un buen maestro de Wing Chun porque tiene miedo de que el estudiante pueda volver a golpearlo con el puño. Sólo debemos atacar en términos de defensa. Si el maestro va a ser atacado y sólo da un pequeño toque, fingiendo que lucha, es que es bueno; si devuelve los puñetazos con fuerza, entonces es que no es un buen maestro. De hecho, un buen maestro nos mandará que ataquemos, sabiendo que no tenemos ninguna posibilidad, que no podemos golpearlo porque es un maestro. Nadie, ni siquiera el maestro, quiere ser golpeado por los estudiantes. Si el maestro no es lo bastante fuerte para recibir nuestro ataque, no nos pedirá que le ataquemos y sólo se defenderá. En este caso será él quien dé un puñetazo en primer lugar para asustarnos y para que no le devolvamos el golpe. Así es como podemos saber quién es un buen maestro.

¿Cómo pudo un joven muchacho como Bruce Lee estudiar con el gran maestro Yip Man?

Era un estudiante de la forma cuatro cuando comenzó, igual que un hijo. Catorce años es una buena edad para comenzar a aprender Wing Chun.

¿Qué nos puede decir del Jeet Kune Do de Bruce Lee?

Bruce Lee era un luchador nato así como una estrella de cine. El comprendió ambas cosas. Comprendió que no era bueno para él ejecutar estilos de lucha de Wing Chun en el cine puesto que no eran buenos estilos de lucha para una película. Por tanto, para hacer una buena película de Kung Fu tenía que luchar con un estilo bello, lo cual es contrario a los principios del Wing Chun. Si hubiese ejecutado Wing Chun en una película sus superiores le hubiesen criticado mucho, de modo que fue lo bastante inteligente como para evitar esto creando el estilo Jeet Kune Do. ¡Si creó el estilo, nadie puede criticarlo! Antes de que Bruce Lee cambiase el nombre de su Kung Fu por el de Jeet Kune Do pidió al gran maestro Yip Man su aceptación y yo estuve presente. Le pidió permiso para cambiar el nombre de su Kung Fu por el de Jeet Kune Do puesto que estaba ganando dinero. Era un chico inteligente y era lo bastante respetuoso como para pedirle permiso al gran maestro Yip Man para hacer este cambio, ya que iba a hacer una película y no quería ocasionar problemas a las familias de Wing Chun.

En el futuro es posible que más y más gente quiera visitar Hong Kong y estudiar con usted. Si la gente pue-

de permitirse el viaje, ¿podrán primero escribir para solicitar si pueden ser aceptados?

Sí, escríbanme. La gente se está apasionando con el Wing Chun. También pueden estudiar cuando estoy en Londres para dar seminarios.

Pero una vez la gente lea esta serie de preguntas y respuestas tenderán a formular la pregunta, "¿cuánto tiempo necesitaré para acabar el curso?"

Esto depende de la actitud del estudiante hacia el estudio. ¿Trabaja duro? ¿Es formal? ¿Qué tal es su habilidad para estudiar? Existen muchos factores.

¿Con qué velocidad se puede aprender?

Bien, en realidad el Siu Lim Tao, las técnicas con el muñeco de madera y el Baat Cham Dao y el Long Staff puedo enseñarlos fácilmente en uno o dos meses. El Chi Sau requiere un estudio ilimitado; en esta disciplina todavía no estoy satisfecho ni siquiera con mis propios logros, lo mismo les sucede a todos los estudiantes.

¿Cuándo puede alguien esperar acabar sus estudios?

Puedo enseñar las técnicas en un breve período de tiempo pero el desarrollo del Chi Sau, por ejemplo, es ilimitado, y no puede haber garantías. Si se es vago, ¿cómo se puede conseguir? Para el Siu Lim Tao y el muñeco de madera existen formas fijas que se pueden enseñar según un programa. Se pueden aprender las tres formas en un mes, y se necesitará otro mes para las técnicas con cuchillos y del muñeco de madera. Antes de hacer cuchillos Baat Cham, primero hay que acabar los estudios de Siu Lim Tao, Chum Kiu y Biu Tzee. Si ya se tienen conocimientos de las tres formas, entonces puedo enseñar las técnicas Baat Cham Dao. Generalmente, esperamos que la gente acabe primero las tres formas.

CAPÍTULO 10

LA DOCTRINA DEL MEDIO

NOTAS SOBRE CONFUCIO

Los chinos han tenido siempre un gran respeto por Confucio, y ahora incluso ha sido rehabilitado en la China continental después de la Revolución Cultural.

Yip Chun, al unir los principios del Wing Chun con la filosofía del "Chung Yung", vuelve al Wing Chun, al que quizás es su hogar espiritual.

Hace 2.500 años, 500 años antes de Jesucristo, Confucio dijo: "No hagas a los demás lo que no te gustaría que te hiciesen a ti". Confucio era un maestro, y en China está considerado como el maestro de los maestros. A lo largo de los siglos han resonado y lo siguen haciendo incluso hoy, aun cuando ha sido trivializado en la lengua inglesa con frases que empiezan como: "Confucio dice..."

En la Doctrina del Medio, Confucio habla sobre la observancia de los principios, pero sin llegar a la exclusión de la condición humana. Y en términos prácticos tiene poca utilidad mantenerse fiel a los principios sin prestar atención a la realidad. Los principios que establece son para aquellos que enseñan y para las relaciones que mantienen con el resto de la sociedad. ¿No es filosofía el aprendizaje de vivir con el prójimo?

Este cordón umbilical entre el pensamiento filosófico y la práctica del Chi Sau, o "manos pegadas", llevará al Wing Chun hacia el futuro.

El texto

Mi maestro, el filósofo Ch'ang, dice: *"No tener ninguna inclinación hacia ningún lado recibe el nombre de* chung; *a la no admisión de ningún cambio se le llama* yung. *Con* chung *se indica el curso correcto a seguir por todos los que viven debajo del cielo; con* yung *se indica el principio fijo regulador de todos los que están debajo del cielo. Este trabajo contiene la ley de la mente, que fue pasando de mano en mano, en la escuela confuciana, hasta Tsze-sze, que temiendo que con el transcurso del tiempo apareciesen errores sobre ello, lo puso por escrito, y lo mandó a Mencius. El Libro habla primero de un principio; luego extiende esto y abarca todas las cosas; por último, vuelve y lo reúne todo bajo el principio. Si se desenvuelve llena el universo; si se enrolla se retira y yace oculto en misterio. El gusto de ello es inagotable. Todo él es aprendizaje sólido. Cuando el lector hábil lo ha explorado con placer hasta haberlo comprendido, puede llevarlo a la práctica durante toda su vida, y descubrirá que no puede agotarse".*

Legge, James

FUENTE PERSONAL DE ARMONÍA SOCIAL

Lo que la naturaleza proporciona recibe la denominación de "la propia naturaleza de uno". El desarrollo de acuerdo con la propia naturaleza de uno recibe la denominación de "el camino de la autorrealización". A la búsqueda adecuada del camino de la autorealización se le da el nombre de "madurez".

A la propia naturaleza de cada cual no se le puede quitar su dueño. Si se pudiese quitar, no sería la propia cultura de uno. Por tanto, un hombre sabio presta mucha atención a ello y se preocupa por lo mismo, aun cuando no sea evidente y cuando no llama la atención de nadie.

La experiencia externa de alguien no es más que una expresión de su interior invisible, y su manifestación externa revela solamente lo que hay dentro. Por tanto, el hombre sabio se preocupa de su propio interior.

Estar despreocupado por las actitudes hacia los demás y de los demás que implique sentirse satisfecho, enfadado, ofendido, o contento recibe la denominación de "genuina naturaleza personal". El preocuparse de tales actitudes, cada una

de manera apropiada, recibe la denominación de "genuina naturaleza social propia".

Esta "genuina naturaleza personal" es la fuente principal a partir de la cual se desarrolla todo lo social. Esta "genuina naturaleza social" es el medio por el cual todos obtenemos la felicidad.

Cuando nuestra "genuina naturaleza personal" y nuestra "genuina naturaleza social" se complementan mutuamente la una a la otra de forma perpetua, entonces las condiciones en todas partes permanecen sanas, y todo crece y prospera.

DIFICULTADES EN EL AUTO-DESARROLLO

El hombre sabio retiene su genuina naturaleza personal. El hombre necio hace lo contrario.

Un hombre sabio lo es porque siempre retiene su genuina naturaleza personal, y el hombre necio hace lo contrario porque, siendo necio, no consigue apreciar lo que es bueno.

La propia genuina naturaleza personal es autosuficiente. Pero ¡qué poca gente logra conservarla durante mucho tiempo!

Yo sé por qué no se persigue el curso de la propia naturaleza personal. Los hombres de éxito intentan superarla. Los ineptos no logran mantenerla.

Yo sé por qué el curso de la propia naturaleza personal no se comprende. El ambicioso la sobreestima. El perezoso no logra apreciarla.

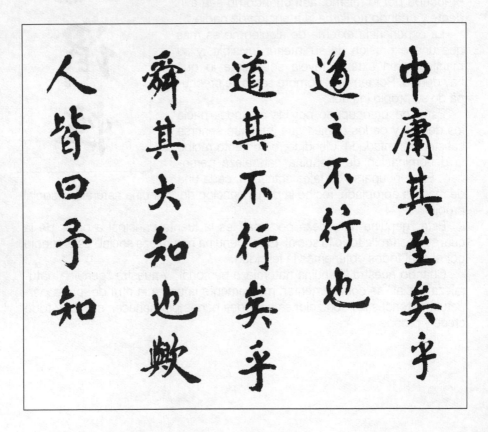

Todos los hombres comen y beben. Pero hay pocos cuyo gusto les dice cuando tienen suficiente.

Realmente es lamentable este fracaso en seguir la genuina naturaleza personal.

Consideremos el hombre, por ejemplo, que tiene gran sabiduría. A él le gusta preguntar y examinar las opiniones expresadas, por simples que puedan ser. Ignora lo que es malo y consigue lo que es bueno. Al comprender los extremos opuestos, ve con claridad cuál es el camino del medio. Tal es la disposición del sabio.

Todos pensamos: "Soy sabio". Pero si nos piden que prosigamos, caemos en una trampa sin darnos cuenta. Todos creemos: "Soy un triunfador". Pero incluso en el caso de que sigamos nuestra propia auténtica naturaleza, no podemos persistir en seguirla durante un mes entero.

Un hombre sabio elige seguir su genuina naturaleza. Cuando perfecciona algún aspecto de su comportamiento, lo conserva, lo valora y no lo abandona nunca.

Podemos ser capaces de gobernar perfectamente nuestro propio país, nuestro propio estado y nuestra propia familia, renunciar al honor y a la prosperidad, y arriesgar la vida sin dudarlo, sin ser capaz de comprender la genuina naturaleza de uno mismo.

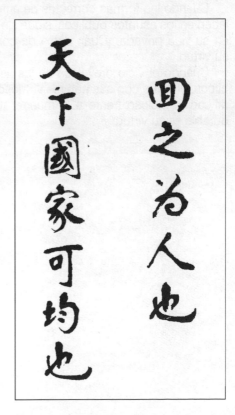

VIRTUD PERSONAL EJEMPLIFICADA

Tzu Lu preguntó sobre la virtud.

Confucio replicó: "¿Quieres decir la "virtud del sur" o la "virtud del norte" o la virtud que es mejor para ti?"

La gente del sur idealiza la paciencia y la amabilidad, la disposición a ayudar a los demás, sin querer castigar los malos tratos. Los caballeros del sur personifican estas virtudes.

La gente del norte admira la disposición para luchar y para arriesgar la vida sin vacilación. Los héroes del norte emulan estas virtudes.

Sin embargo, el hombre sabio vive en armonía con los demás sin dejarse confundir por ellos. ¡Cuán saludable es su virtud!

Se sitúa en el camino del medio sin inclinarse hacia ningún lado. ¡Cuán inteligente es su virtud!

Cuando las formas correctas de actuar prevalecen en los asuntos públicos, sigue sin desviarse en su vida privada. ¡Cuán digna de confianza es su virtud!

Cuando el vicio prevalece en las asuntos públicos, él sigue con sus hábitos virtuosos sin modificación incluso frente a la muerte. ¡Cuán perdurable es su virtud!

TENER PRETENSIONES
ES IMPRUDENTE

Investigar lo misterioso y ejecutar lo espectacular con el fin de crearse una reputación para el futuro es algo que yo no haré.

El hombre sabio emula a la naturaleza en todas sus formas. Hacerlo en sólo algunas formas no basta.

El hombre sabio acepta su genuina naturaleza. Aun cuando puede ser un completo desconocido, ignorado por todos, vive sin arrepentirse. Solamente un santo puede hacer esto.

EL CAMINO DE LA
NATURALEZA ES SUFICIENTE

La naturaleza, que el hombre sabio emula, se muestra en todas partes pero también se esconde en todas las cosas.

La gente más ignorante tiene algún conocimiento de ella, aunque incluso los hombres más sabios no pueden entenderla del todo. La gente más degenerada la personifica en cierta medida, pero incluso los hombres más sabios no pueden emularla perfectamente. Ya que, a pesar de lo majestuoso que es el universo, el hombre sigue queriendo diferenciarse del mismo.

Por tanto, cuando el hombre erudito expresa sus ideales de grandeza, el mundo real no los ilustra plenamente. Y cuando expresa sus ideales de pequeñas distinciones, nada en el mundo real puede mostrarlas.

Está escrito en el *Libro de los versos*: "El águila se cierne a mucha altura en el cielo y el tiburón se sumerge en las profundidades". Este refrán ilustra cómo la naturaleza se extiende por arriba y por abajo.

La naturaleza social del hombre sabio se origina a partir de las relaciones más simples entre los hombres y las mujeres; crece hasta la plena madurez, y abarca todas las cosas del mundo.

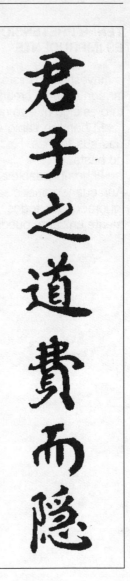

EL CAMINO DE LA NATURALEZA SE CORRIGE A SÍ MISMO

El camino de la naturaleza no es algo apartado de los hombres. Cuando un hombre sigue un camino que le separa de los hombres, éste no es el camino de la Naturaleza.

En el *Libro de los versos* está escrito: "Cuando alguien moldea el mango de un hacha, su modelo no está lejos". El modelo para el mango está en la mano que lo sujeta, aunque cuando se comparan parecen diferentes. Así, igualmente, el hombre sabio influye a los demás hombres atrayendo sus naturalezas. Cuando ellos vuelven al camino de la naturaleza, él se detiene.

Cuando alguien desarrolla su propia naturaleza con gran plenitud, descubre que los principios de fidelidad y de mutualidad no son cosas distintas a la propia naturaleza. Lo que no quieras que te hagan a ti, no lo hagas a los demás.

La naturaleza de un hombre sabio incluye cuatro logros, de los cuales yo no he alcanzado ninguno:

1) Apreciar a mi padre del modo que yo deseo que mi hijo me aprecie a mí. No he sido capaz de hacerlo.
2) Servir a mis oficiales superiores tal como yo deseo que mis oficiales subordinados me sirvan a mí. No he sido capaz de hacerlo.
3) Tratar a mi hermano mayor del modo que yo esperaría que mi hermano menor me tratase a mí. No he sido capaz de hacerlo.
4) Ser tan considerado con los amigos como yo desearía que mis amigos lo fuesen conmigo. No he sido capaz de hacerlo.

El hombre sabio presta atención tanto a su comportamiento como a lo que dice. Siempre que su comportamiento se vuelve deficiente, el hombre sabio intenta corregirlo. Siempre que lo que dice se vuelve molesto, se refrena a sí mismo. Así, mientras habla, presta una constante atención a sus acciones, y, cuando actúa, presta constante atención a lo que dice. ¿No debería, por tanto, un hombre sabio estar atento constantemente?

LA HUMILDAD ES JUICIOSA

El hombre sabio se adapta adecuadamente a cada situación. No desea cambiarla.

Cuando se encuentra inmerso en la riqueza y la dignidad, se comporta como alguien que es honesto y apreciado.

Cuando se encuentra en la pobreza y el desprecio, se comporta de forma adecuada a la pobreza y al desprecio.

Cuando se encuentra en una civilización extranjera, se adapta a las costumbres extranjeras.

Cuando se encuentra en el dolor y la aflicción, actúa como alguien que se halla en el dolor y la aflicción.

Por tanto, el hombre sabio está dispuesto a aceptar todo tipo de comportamiento adecuado como el suyo propio.

Cuando se halla en una posición elevada, no contempla a sus inferiores con desprecio. Cuando se halla en baja posición, no adula a sus superiores.

Siempre actúa adecuadamente por propia decisión, y no necesita ser guiado por otros. Por tanto, no se siente dominado. No se queja de su destino cósmico ni se lamenta del trato que recibe de los hombres.

Así, el hombre sabio es sereno y confiado, cree en el futuro. Pero el hombre necio corre el riesgo de encontrarse con problemas, al esperar más de lo que merece. El hombre sabio es como un arquero. Cuando el arquero no consigue acertar su objetivo, reflexiona y busca el motivo de su fallo dentro de sí mismo.

COMENZAR EN LA FUENTE

La naturaleza de un hombre sabio es algo parecido a un largo viaje, puesto que para poder ir lejos debe pasar primero por entre lo que está cerca, y se parece también a la ascensión de una alta montaña, ya que para alcanzar la cima debe empezar por abajo de todo.

En el *Libro de los versos* está escrito: "La asociación feliz entre la esposa y los hijos es como la música de los laúds y de las arpas. Cuando entre los hermanos prevalece la cordialidad, la armonía es placentera y gratificante. Con nuestra casa armoniosamente organizada, se disfruta de la compañía de la esposa y de los niños".

En tales circunstancias, los padres están contentos.

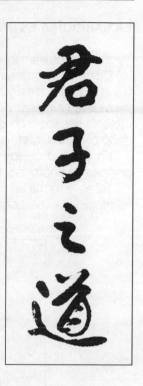

LA SABIDURÍA ES INVISIBLE

¡Cuán profusamente manifiestan su influencia los poderes invisibles!

Cuando los buscamos, no podemos verlos. Sin embargo, están presentes en todas partes, y nada está libre de ellos.

Mueven a masas de gente a ayunar y a purificarse y a adornarse con sus mejores hábitos a fin de hacer sacrificios para ellos. El mundo parece inundado con ellos, tanto arriba como en todos lados.

En el *Libro de los versos* está escrito: "Los poderes invisibles se nos acercan de improviso. Pero no se les puede ignorar".

Tal es la forma en que se expresa lo invisible. Y tal es la imposibilidad de restringir las expresiones de la fe.

LA SABIDURÍA ES MUY RESPETABLE

La naturaleza, al crear todas las cosas, las provee según sus capacidades. Así, alimenta lo que está floreciendo, y acaba lo que está declinando.

En el *Libro de los versos* está escrito: "El líder venerado y clemente ilustra un personaje ilustre. Organiza a su gente y coordina a sus oficiales. Se beneficia de la providencia de la naturaleza. La naturaleza lo protege, le ayuda, y lo eleva. La naturaleza lo apoya continuamente".

Por tanto, aquel que posee un carácter virtuoso recibirá una alta llamada.

LOS SABIOS SON CONSIDERADOS

Ahora, la consideración filial consiste en cumplir diligentemente con los deseos del padre y en perpetuar sus logros.

Ocupar los mismos lugares que nuestros padres ocuparon, realizar las ceremonias del modo en que lo hicieron ellos, interpretar la misma música que ellos interpretaron, honrar a quienes ellos habían honrado, amar a quienes ellos amaron; y respetar a los que están muertos del mismo modo en que lo fueron mientras vivían y considerar a los que se fueron con el mismo respeto como si estuviesen entre nosotros. Ésta es la ejemplificación perfecta de la consideración filial.

Al ejecutar las ceremonias de la estación, ofrecemos nuestros apro-

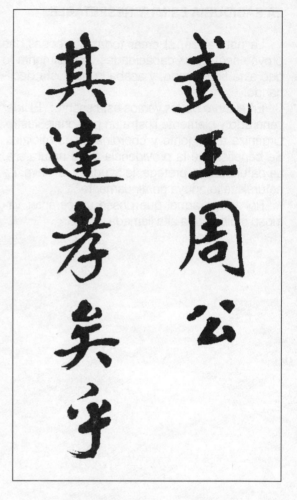

piados respetos a las fuerzas cósmicas, y al ejecutar nuestros servicios conmemorativos, ofrecemos nuestros apropiados respetos a nuestros ancestrales progenitores. El que comprende el significado de las ceremonias estacionales y de las ceremonias conmemorativas está tan preparado para gobernar un reino como para cuidar de su propia mano.

EL BUEN GOBIERNO DEPENDE DE HOMBRES BUENOS

Cuando los hombres buenos están en el poder, el gobierno es eficiente, lo mismo que cuando la tierra es fértil las plantas florecen.

En consecuencia, el buen gobierno depende de hombres buenos. Tales hombres deben elegirse en base a su carácter. El buen carácter se desarrolla siguiendo el camino. Al seguirlo se adquiere también buena voluntad.

La buena voluntad es esencial para el ser humano, y emerge en primer lugar al tener cuidado de la propia familia. El mejor modo de hacer las cosas es reconocer cada cosa por lo que es, especialmente por su verdadero valor. Al igual que hay diferencias en el cuidado con el que tratamos nuestros parientes más cercanos y más distantes, de la misma manera debemos reconocer las diferencias en mérito para diferentes niveles de responsabilidad, y aceptarlas en la práctica social.

Cuando quienes son gobernados no tienen confianza en sus gobernantes, no se les puede controlar.

Por tanto, un líder no debe descuidar el desarrollo de su propio carácter. Al esforzarse por desarrollar su carácter, debe conseguir comprender la naturaleza humana. Al lograr comprender la naturaleza humana, no fracasa en la consecución de la comprensión de la naturaleza.

La naturaleza de las relaciones sociales (es decir, mutuas) puede ilustrarse mediante cinco relaciones sociales, y las características precisas para satisfacerlas pueden resumirse en tres.

Las relaciones son aquellas 1) entre el soberano y el sujeto, 2) entre padre e hijo, 3) entre marido y esposa, 4) entre hermano mayor y hermano menor, y 5) entre amigo y amigo asociándose como iguales. Estas cinco ilustran la naturaleza de todas las relaciones sociales.

Los tres rasgos, preocupación (*chih*), buena voluntad (*jen*), y diligencia (*yung*), son necesarios en todas las relaciones sociales. De hecho, el modo de actuar de estos tres es unitario.

Algunas personas parecen haber nacido con aptitudes sociales. Algunas las adquieren aprendiéndolas de maestros. Y algunos las desarrollan mediante experiencias de prueba y error. Pero independientemente de cómo se obtienen, operan del mismo modo.

Algunas personas expresan su preocupación por otras espontáneamente, algunas calculando las recompensas previsibles, y algunas forzándose a sí mismas a regañadientes. Pero cuando la preocupación, la buena voluntad y la diligencia por otros se expresan, entonces, independientemente si se expresan espontáneamente, de manera calculada, o a regañadientes, los resultados son los mismos.

Querer aprender es casi tener sabiduría (*chiih*). Intentarlo con decisión es casi como tener buena voluntad (*jen*). Tener sentimientos de culpabilidad contribuye a la diligencia (*yung*).

Cuando una persona entiende estos rasgos, entonces sabe como desarrollar su carácter. Cuando sabe como desarrollar su carácter, entonces sabe cómo guiar a otros. Cuando sabe cómo guiar a otros, entonces sabe cómo gobernar todo el país, incluidos sus estados y comunidades.

Sea quien sea el responsable del gobierno de todo el país, incluidos sus estados y comunidades, tiene nueve principios que practicar:

1) el desarrollo de su propio carácter
2) reconocimiento de los que tienen algún mérito
3) expresión del debido afecto a sus parientes
4) tener una confianza completa en sus oficiales de más alta responsabilidad
5) interesarse personalmente por los problemas de todos los otros oficiales públicos
6) tratamiento paternal de la gente común
7) favorecer a los fabricantes y comerciantes
8) divertir amablemente a los extranjeros
9) apreciar los servicios de los líderes políticos

Cuando un gobernador desarrolla su propio carácter, con ello asegura la operación del camino de la naturaleza (*tao*) en su reino.

Cuando reconoce a los que tienen méritos, evita el pecado del favoritismo.

Cuando expresa el debido afecto por sus parientes, no tendrá motivos para lamentarse.

Cuando tiene plena confianza en sus oficiales de más alta responsabilidad, se abstiene de inmiscuirse en sus asuntos.

Cuando se interesa personalmente por los problemas de todos los otros oficiales públicos, se granjea su gratitud personal.

Cuando trata a la gente común con una actitud paternal, entonces su moral mejora.

Cuando favorece la industria y el comercio, el país prospera.

Cuando divierte amablemente a los extranjeros, la gente de todas partes se sentirá atraído por él.

Y cuando aprecia los servicios de los líderes políticos, entonces todo el país le es leal.

Con el autocontrol, el aseo, la pulcritud en el vestir, y evitando todo comportamiento inapropiado, éste es el camino para que un líder desarrolle su carácter.

Con la ignorancia de las difamaciones, la insensibilidad a las tentaciones, el desprecio de las riquezas, y el reconocimiento de los logros, éste es el camino para reconocer a quienes tienen mérito.

Con el respeto de sus posiciones, ayudándoles a enriquecerse, y simpatizando con sus preferencias, éste es el camino para expresar el afecto debido a los parientes.

Dándoles autonomía y plena autoridad para cumplir con sus deberes, éste es el camino para tener plena confianza en los oficiales más fiables.

Dándoles seguridad en el trabajo y dándoles buenos salarios, éste es el camino para tomar un interés personal en los problemas de todos los demás oficiales públicos.

Pidiendo celebraciones públicas únicamente en fiestas regulares y disminuyendo sus impuestos, éste es el camino para mejorar la moral de la gente común.

Con supervisión diaria e inspecciones mensuales para asegurar salarios equitativos y precios justos, éste es el camino para favorecer a los fabricantes y a los comerciantes.

Dándoles la bienvenida a su llegada y escoltándolos cuando se van, y alabando su maestría y disculpando su inexperiencia, éste es el camino para divertir a los extranjeros.

Restaurando el honor de las familias de antiguos gobernadores, reinstaurando el control en los estados en los que el gobierno se ha colapsado, restableciendo el orden en los estados en que el gobierno se ha vuelto caótico y protegiendo a los que están en peligro, dirigiendo consejos de representantes de los estados a intérvalos regulares, pidiéndoles que traigan solamente pequeños impuestos y despidiéndolos con grandes asignaciones, éste es el camino para apreciar los servicios de los líderes políticos.

Éstos, por tanto, son los nueve principios para tener éxito para todos los que tienen que gobernar un país, un estado o una comunidad. El éxito se logra usandolos todos con espíritu sincero.

En todas las cuestiones, el logro depende de la preparación previa; sin dicha preparación, el fracaso es seguro. Cuando alguien decide de antemano lo que quiere decir, entonces el discurso no será titubeante. Cuando alguien decide de antemano como desea enfrentarse con las cosas, no se encontrará con problemas más adelante. Cuando alguien planea el propio curso de acción, no se quedará perplejo. Cuando alguien emplea los mejores medios de proceder (*tao*) habitualmente, entonces esta persona se beneficiará de ellos perpetuamente.

Cuando aquellos que son gobernados no tienen confianza en sus gobernadores, no es posible controlarlos.

Pero hay un modo para que un gobernador se gane dicha confianza:

Primero debe reconocer el principio de que si no puede confiar en sus amigos, entonces aquellos a quienes gobierna no confiarán en él.

Hay un camino para ganarse la confianza de los propios amigos: Debe reconocerse el principio de que si una persona no es fiel a sus padres, entonces sus amigos no confiarán en él.

Hay un camino para ser fiel a los propios padres: Debe reconocerse el principio de que si uno no es honesto consigo mismo, entonces no se puede ser fiel con sus padres.

Hay un camino para ser honesto consigo mismo: Debe reconocerse el principio de que si uno no sabe lo que es bueno, entonces no se puede ser honesto con uno mismo.

El camino de la naturaleza es *ser* sincera. El camino del hombre es *volverse* sincero.

Ser sincero es actuar sinceramente sin esfuerzo, lograrlo sin pensar en ello, y comprender automática y espontáneamente la propia verdadera naturaleza. Un hombre así es sabio.

Volverse sincero es intentar hacer lo que es bueno y seguir intentándolo.

A fin de hacer esto, hay que investigar en profundidad la naturaleza de lo que es bueno, preguntándolo con la mayor sinceridad, examinándolo meticulosamente, formulando con claridad una concepción de ello, y aprendiendo diligentemente de la experiencia práctica con ello.

Mientras exista algo que uno no haya investigado, no se deben abandonar los esfuerzos.

Mientras exista algo que uno no haya examinado plenamente, o algo que haya examinado pero que no entienda, no se deben abandonar los esfuerzos.

Mientras exista algo de cual no se haya formulado una concepción clara, o algo en dicha concepción que se entienda, no se deben abandonar los esfuerzos.

Mientras exista algo que uno no haya ensayado en la experiencia práctica, o algo en tal experiencia que no se entienda, no se deben abandonar los esfuerzos.

Aunque otros puedan tener éxito con un solo esfuerzo, habrá que esforzarse cien veces si es necesario, y donde otros tienen éxito con diez intentos, se deben hacer mil intentos si es preciso.

El que siga este camino, aunque sea lento, alcanzará la comprensión; aunque sea débil, conseguirá la fuerza.

DOS FUENTES DE SINCERIDAD

Cuando nuestra comprensión brota de nuestra sinceridad, puede decirse que emerge de nuestra naturaleza.

Cuando nuestra sinceridad se deriva de nuestra comprensión, puede decirse que es el resultado de la educación.

A partir de la sinceridad podemos desarrollar la comprensión y de la comprensión podemos adquirir la sinceridad.

CÓMO INFLUIR EN EL MUNDO

Solamente el que es completamente sincero en los asuntos de este mundo puede desarrollar su propia naturaleza hasta su plenitud.

Si puede desarrollar su propia naturaleza hasta la plenitud, entonces puede ayudar en el pleno desarrollo de la naturaleza de otros hombres.

Si puede ayudar en el pleno desarrollo de la naturaleza de otros hombres, entonces puede ayudar en el pleno desarrollo de la naturaleza de todos los seres animados e inanimados.

Si puede ayudar en el desarrollo de todos los seres animados e inanimados, entonces puede ayudar en las actividades de producción

y maduración de la naturaleza de arriba y de la naturaleza de abajo.

Cuando ayuda en la producción y en la maduración de la naturaleza por encima y de la naturaleza por abajo, entonces se convierte en un agente creativo en el universo.

ESPERANZA PARA EL PARCIALMENTE SINCERO

A continuación viene el que desarrolla la sinceridad sólo parcialmente. Con esto, puede experimentar la naturaleza de la sinceridad.

En este camino, la naturaleza de la sinceridad se hace realidad en él.

Cuando se hace realidad en él, entonces se hace aparente a él.

Cuando se le hace aparente a él, entonces se hace clara también a otros.

Cuando se hace clara también a otros, entonces les influye.

Cuando influye a otros, son moldeados por ella.

Cuando son moldeados por ella, ellos mejoran.

Solamente aquel que es completamente sincero en los asuntos de este mundo puede mejorar a los demás.

OBTENCIÓN DEL PODER DE PREDICCIÓN

Para un hombre completamente sincero, ser capaz de pronosticar el curso de las cosas es una consecuencia natural.

Cuando una nación o una familia están a punto de ser prósperos, está claro que aparecerán pruebas de buenas tendencias, y cuando están a punto de arruinarse, aparecen pruebas de malas tendencias.

Puede observarse tanto en medios externos de pronóstico como en el modo en que afectan al comportamiento en conjunto de uno.

Cuando la ruina o la prosperidad están en perspectiva, seguramente puede prever tanto los resultados buenos como los malos. En consecuencia, el hombre completamente sincero es igual al que tiene poderes superiores.

LA SINCERIDAD MEJORA A UNO MISMO Y A LOS DEMÁS

La sinceridad es autosuficiente. Y la naturaleza se autodirige.

La sinceridad impregna el ser desde el principio hasta el final. Sin sinceridad, nada se puede hacer. Ésta es la razón por la que el hombre sabio valora el llegar a ser sincero por encima de todo lo demás.

La persona que intenta ser sincera no sólo favorece su autorrealización. También favorece la autorrealización de los demás.

La autorrealización implica la asociación con otros (*jen*). El desarrollo de las propias relaciones con otros implica simpatía. Tanto la asociación con otros como el tener simpatía son habilidades que todas las cosas tienen para la realización de su propia naturaleza (*teh*).

La naturaleza completa de una persona (*tao*) integra tanto las relaciones externas como los procesos internos. Por tanto, la sinceridad es plenamente genuina cuando ambas habilidades están apropiadamente integradas.

LA SINCERIDAD LO IMPREGNA TODO

Por tanto, lo más sincero lo impregna todo sin cesar.

Siendo incesante, es perdurable. Siendo perdurable, es autosuficiente.

Siendo autosuficiente, lo abarca todo. Abarcándolo todo, se extiende por todas partes y se autoalimenta. Extendiéndose por todas partes y autoalimentándose, sube alto y brilla.

Extendiéndose por todas partes y autoalimentándose, lo contiene todo. Subiendo alto y brillando, lo cubre todo. Abarcándolo todo y siendo perdurable, aparece en los cielos. Al abarcarlo todo, no tiene límite.

Así es la naturaleza de la sinceridad. Aun siendo invisible, produce todos los cambios. Aun no ejerciendo ningún esfuerzo, lo hace todo.

La naturaleza (*tao*) de la Naturaleza puede resumirse en una palabra: "sinceridad". Está libre de duplicidades. Cómo hace lo que hace es un misterio.

La naturaleza de la Naturaleza es tal que se extiende por todas partes y se autoalimenta, asciende alto y brilla, y lo abarca todo y es perdurable.

Este trozo de cielo que aparece ahora por encima de nosotros, es sólo la porción visible del mismo. Pero cuando se piensa en él como ilimitado, incluyendo al sol y la luna, las estrellas y las galaxias, lo domina todo.

Este trocito de tierra aquí debajo de nosotros no es más que un puñado de suciedad. Pero cuando lo consideramos en su anchura y profundidad, sostiene montañas pesadas sin esfuerzo y retiene los ríos y océanos sin dejar que se sequen.

Esta montaña de aquí frente a nosotros parece un mero montón de rocas; pero en sus anchas pendientes crecen la hierba y los árboles, pájaros y animales hacen sus nidos en ella, y abundan en ella reservas de valiosos minerales.

Este lago de aquí frente a nosotros parece un mero cuenco lleno de agua; pero en sus profundidades insondables nadan miríadas de peces, tortugas y tiburones. Una gran abundancia de recursos nada dentro de él.

En el *Libro de los versos* está escrito: "Las provisiones del cielo, ¡cuan abundantes e inagotables!" Esto significa que esta plenitud e inacabable suministro es lo que hace que el Cielo sea el Cielo, o que la naturaleza sea la Naturaleza.

SUPERIORIDAD DEL SABIO

¡Cuán superior es la naturaleza de la sabiduría!
Generosa como el océano, puede estimular e inspirar a todos los seres vivos, y ascender a las alturas del Cielo.

¡Cuán eficiente su superioridad!

Domina todos los principios de la propiedad y todas las normas de la etiqueta.

Espera al hombre apropiado, y entonces se hace realidad.

Por eso se dice: "A menos que uno tenga la habilidad de seguir completamente a la naturaleza (*teh*), la naturaleza (*tao*) no puede funcionar perfectamente".

En consecuencia, el hombre sabio aprecia su habilidad para seguir a la naturaleza sin desviación (*teh*). Persiste en autoexaminarse y en inquirir sobre las necesidades de los demás, tratando de hacerlo con la mayor amplitud posible, pero prestando atención a los detalles más sutiles, y esforzándose para desarrollar esto hasta su nivel más alto de excelencia. De este modo desarrolla su verdadero yo (*chung yung*). Ésta es la razón por la que estudia la historia antigua antigua y está alerta a las últimas novedades. Está verdaderamente interesado tanto en el respeto por y en la práctica de lo que es correcto (*li*).

Por tanto, mientras ostenta una alta posición no es arrogante, y cuando se encuentra en una posición baja, no se lamenta.

Cuando las condiciones sociales son naturalmente sanas (*tao*), su consejo es admirado. Cuando las condiciones sociales se vuelven turbulentas, se le tolera se mantiene su silencio.

¿No es éste el significado del *Libro de los versos* cuando dice: "Mediante la sabiduría y la discreción se perpetúa a sí mismo"?

LA HABILIDAD NECESARIA PARA LA RESPONSABILIDAD

Aquel que está desinformado y sin embargo opina, aquel que es incapaz de cuidar de sí mismo y aun así quiere decidir por él mismo, y aquel que se enfrenta con problemas actuales y no obstante rechaza aprovecharse de experiencias pasadas, toda esta gente corre hacia el desastre.

Si alguien ocupa una posición de responsabilidad pero carece de la capacidad necesaria, no debe revisar los procedimientos establecidos o los criterios de gusto. Si alguien tiene la capacidad pero no tiene posición de autoridad, no puede revisar el sistema de procedimiento o las normas artísticas.

CÓMO GENERA CONFIANZA UN SABIO

Independientemente de lo excelentes que fuesen las costumbres antiguas, si no se pueden ensayar hoy, su valor no se puede demostrar. Sin demostración, la gente no lo seguiría.

Independientemente de lo excelente que pueda ser el consejo moral que provenga de quienes no tienen prestigio, no será respetado. Sin dicho respeto la gente no los seguirá.

Por tanto, las normas promulgadas por un líder sabio deben fundarse en su propio carácter y experiencia, y deben ser demostradas adecuadamente en las vidas de la gente. Deben ser verificadas históricamente para ver si son deficientes. Deben exhibirse antes los antepasados que ya se fueron, sin miedo ni vacilación. Debe creerse sin duda alguna que merecerán ser examinadas por sabios siglos más tarde.

Exhibiendo sus normas ante los antepasados que ya partieron sin miedo ni vacilación, el líder sabio muestra su conocimiento del Cielo. Estando dispuesto, sin vacilación alguna, a esperar el escrutinio de los sabios siglos más tarde, demuestra su conocimiento de los hombres.

Cuando esto es así, entonces el comportamiento del líder sirve como modelo, su conducta se considera como una norma, y su lenguaje sirve como un ejemplo ante todo el país durante generaciones. Quienes están lejos de él, lo admiran, y quienes están cerca nunca se cansan de él.

En el *Libro de los versos* está escrito: "Sin animosidad allí, sin aburrimiento aquí, día tras día, noche tras noche, recitan su alabanzas".

Ningún hombre sabio, sin ganarse tales alabanzas, se hizo nunca famoso durante el mundo antiguo.

MAGNIFICENCIA DEL CAMINO DE LA NATURALEZA

La naturaleza se armoniza con los ritmos regulares del cielo arriba, y es consecuente con las regularidades de la tierra y el agua abajo.

En su inclusividad y su apoyo, y en su globalidad y protección, son comparables con el Cielo y la Tierra.

En el ordenamiento de los procedimientos, son comparables con el día y la noche, y con las cuatro estaciones. La naturaleza muestra como todas las cosas florecen juntas sin dañarse entre sí. Cada cosa sigue su propia naturaleza (*tao*) sin interferir con las demás. Las cosas pequeñas tales como los riachuelos siguen sus propios caminos, mientras que al mismo tiempo procesos más grandes tales como el día y la noche y las cuatro estaciones llevan a cabo sus tremendas transformaciones. Por esto la Naturaleza es tan magnífica.

EL SABIO TIENE PROFUNDIDAD Y ANCHURA

Sólo la persona más sabia del mundo puede reunir en sí mismo la rapidez, la claridad, la anchura y la profundidad de la comprensión necesarias para guiar a los hombres; la magnanimidad, la generosidad, la benevolencia, y la amabilidad necesarias para entenderse con los demás; la cortesía, la fuerza, la estabilidad, y la tenacidad necesarias para mantener el control; la serenidad, la seriedad, la constancia, y el decoro necesarios para inspirar respeto; la instrucción, la metodicidad, la meticulosidad, y la penetración necesarias para poder opinar con buen criterio.

Puesto que ejercita sus habilidades cuando son necesarias, es capaz de hacer todo tipo de cosas, de servir amplias áreas, de penetrar profundamente y de seguir fluyendo perpetuamente.

Al ser capaz de hacer todo tipo de cosas y de servir amplias áreas, es como el Cielo. Al penetrar profundamente y al seguir fluyendo perpetuamente, es como el océano. Siempre que aparece, todos le adoran. Diga lo que diga, todos le creen. Haga lo que haga, todos le están agradecidos.

En consecuencia, su fama se difunde por el país y se extiende por tierras extranjeras. Allí donde llegan los carros y los barcos, allí donde la iniciativa humana penetra, allí donde llega el cielo y se extiende la tierra, allí donde el sol y la luna brillan, y allí donde la helada y el rocío se posan, todo lo que vive y respira le reverencia.

EL SABIO ES UN ENTUSIASTA

Solamente el hombre más completamente sincero del mundo es capaz de armonizar los extremos más opuestos de la sociedad humana, de establecer y de mantener el orden moral en el país, y de entender los procesos de desarrollo y de maduración de la Naturaleza. ¿Necesita esta persona depender de alguna otra cosa externa a sí mismo?

¡Cuán entusiasta es la buena voluntad!

¿Quién puede comprender a un hombre así a menos que el mismo tenga rapidez, claridad, amplitud y profundidad de comprensión, y amplitud de perspectiva?

EL SABIO ES HUMILDE

En el *Libro de los versos* está escrito: "Sobre su vistoso vestido lleva un vestido ordinario", implicando desagrado por la ostentación. Del mismo modo, forma parte de la naturaleza de un hombre sabio abstenerse de la ostentación, mientras gana fama día a día; al tiempo que la naturaleza del hombre necio es buscar la notoriedad, mientras se desacredita día a día.

El hombre sabio no parece apasionante, pero la gente nunca se aburre con él. Aunque parece sencillo, en realidad es complejo. Aunque aparentemente es amistoso, mantiene su seriedad. Sabe que el logro de objetivos distantes se alcanza prestando atención a las cosas cercanas. Conoce las causas de las cosas. Conoce como las cosas pequeñas crecen hasta convertirse en grandes. Una persona así tiene un carácter sólido.

En el *Libro de los versos* está escrito: "Aquello que es profundo y bien fundamentado puede con todo ser muy evidente". En consecuencia, el hombre sabio examina su interior, para erradicar el mal y eliminar la incapacidad. Aquello en que el hombre sabio no es superado no puede dejar de ser visto por los demás hombres.

En el *Libro de los versos* está escrito; "Incluso cuando estés apartado en la soledad, no hagas nada que te convierta en culpable, puesto que eres visible a la luz de arriba". Por tanto, el hombre sabio continúa prestando mucha atención y respetando el buen comportamiento incluso cuando está inactivo, y por la verdad incluso cuando está callado.

En el *Libro de los versos* está escrito: "Uno adora sin pedir recompensa". En consecuencia, el hombre sabio no ofrece alicientes, y aun así la gente recibe inspiración. No expresa cólera, y sin embargo la gente se altera más que si les amenazasen con hachas y con palos.

En el *Libro de los versos* está escrito: "El buen carácter no necesita ser anunciado. Los hombres buenos lo buscan en cualquier caso". Por tanto, cuando el hombre sabio permanece sincero y amable, todo el mundo alcanza la paz.

En el *Libro de los versos* está escrito: "Yo admiro su excelente carácter. ¡Cuán modesto!, no grita ni es ostentoso". Entre los medios de influir en la gente, gritar y ser ostentoso son los menos efectivos.

En el *Libro de los versos* también está escrito: "El carácter es tan discreto como un cabello". Pero incluso un cabello puede ser indiscreto en cierta medida. "Las acciones del Cielo no tienen olor ni se oyen". Esto es la perfección.

*Samuel Kwok, Yip Ching, Yip Chun
y Danny Connor*

*Yip Man Martial Arts
Association - Asociación
de artes marciales Yip Man
(Hong Kong)*

葉 問 國 術 總 會

La dirección del señor Yip Chun es: *2113 Wong Shek House, Ping Shek
Estate, Kowloon, Hong Kong.* Quien desee estudiar Wing Chun con el gran
maestro Yip Chun debe dirigir toda la correspondencia a la dirección antes
indicada.